サクッとうかる

日商3級

トレーニング

【第3版】

商業簿記

桑原 知之

ネットスクール出版

はじめに ～知識を実力に換える～

簿記を学ぶ上で、みなさんの実力がつく瞬間は、いつでしょうか？

それは「テキストを読んでわかった瞬間」ではありません。

①良い問題を解き、②解答用紙に記入して採点し、そして③間違いの理由がわかった瞬間です。

●良い問題を解く

良い問題とは、本試験に出て来る問題です。

ネット試験の導入に伴い、出題内容も大きく変化しました。出題予想の当たりはずれよりも**基礎的で網羅的な理解が重要**な試験となっていますが、この１冊の問題を解けるようにすれば大丈夫です。

●解答用紙は、間違えるための場所

考えてわからないときに、白紙のまま、すぐに解答を見るのは最悪の選択です。

わかる範囲でいい、想像でもいい。恥ずかしいことなど何もない。とにかく**可能な限り解答用紙を埋める**ことで『間違える』という、最も大切な瞬間を迎えることができ、それを正しく理解したときに実力がつくのです。

●解答用紙を間違いノートに

『間違いノート』を作るのは、思いのほか大変です。

そこで、解答用紙の間違えた箇所にしっかりと×を付けるとともに「**間違えた原因**」と「**正しい考え方**」を書き添えておくようにしましょう。

問題もすぐ近くにあるので、見直しもカンタンです。

頻繁に出題されている内容を多く収載するなど、本書をお使いいただくみなさまに『ほんとうに合格してほしい！』という思いを凝縮して作成しました。

あとはみなさんの『汗』です。頑張りましょう！

※解答用紙のダウンロードサービスも提供いたします。ご利用ください。

ネットスクール　桑原知之

日商簿記３級について

①日商簿記３級のレベル

日本商工会議所主催の簿記検定３級（日商簿記３級）は、ビジネスパーソンが身に付けておくべき「必須の基本知識」として、多くの企業から評価される資格です。

合格するためには、基本的な商業簿記を修得し、小規模企業における企業活動や会計実務を踏まえ、経理関連書類の適切な処理を行うための知識や技術が求められます。

②日商簿記３級の試験

日商簿記３級は、年３回実施される統一試験（ペーパー試験）のほかに、指定されたテストセンターにあるパソコンを使って随時受験が可能なネット試験（CBT 方式）の２種類の方法で受験できます。

印刷された問題を読んで答案用紙に答えを記入するのか、画面に表示された問題を読んでマウスやキーボードを使って答えを入力するのかの違いはありますが、どちらの試験も同じ試験範囲・難易度で、いずれの形式でも合格すれば「日商簿記３級合格」となります。

	統一試験(ペーパー試験)	ネット試験(ＣＢＴ方式)
試験日	年3回(6月、11月、2月)実施	テストセンターが定める日時で随時実施
試験会場	各地の商工会議所が設けた試験会場	商工会議所が認定した「テストセンター」
申込み	各地の商工会議所によって異なります。 (試験の概ね2か月前から1か月前に受付)	インターネットを通じて申込み。 (３日前まで申込み可能)
試験時間	60分	
合格点	100点満点中70点以上で合格	
合格発表	各地の商工会議所によって異なります。 (概ね２週間程度で発表)	試験終了後、即時採点され結果発表。
受験料	2,850円(税込) ※別途手数料が発生する場合があります。	2,850円(税込) ※別途手数料が発生する場合があります。

最新の情報については日本商工会議所の検定試験公式サイトや、各地商工会議所のホームページ(統一試験)、株式会社CBT-Solutionsのホームページ(ネット試験)もご覧ください。

【日本商工会議所 簿記検定公式ページ】
https://www.kentei.ne.jp/bookkeeping

本書の特徴

基礎編 網羅的に学ぶのが合格への近道！

- 『サクッとうかる日商３級テキスト』に完全対応した安心の構成です。
- まずはテキストレベルの「基本問題」を解いて、実力アップを図りましょう。

応用編 本試験レベルにチャレンジ！

- 合格していくには設問ごとの対策が必要です。そのため、仕訳問題（第１問）、財務諸表作成問題（第３問）など、設問別に問題を収載しています。

購入者特典 模擬問題（第１回〜第３回）にチャレンジ！

- 特設サイトにて模擬問題（ＰＤＦファイル）を公開しています。
- 本試験の形式・難易度に合わせた模擬試験です。
  ※ご利用には、下記のパスワードの入力が必要です。

購入者特典 利用パスワード
（特設サイト内にてご入力下さい。）

m13282

ＱＲコードを使ったアクセスはこちら ▶

https://www.net-school.co.jp/special/saku3q3/

印刷に必要なプリンターや用紙・インク代等はお客様のご負担となりますので、あらかじめご了承ください。

また、プリンターをお持ちでない場合、コンビニエンスストアのネットプリントサービス等をご利用ください。

日商簿記３級の得点計画

各問題の解答順序と対策

３級は、たった 60分の試験で、70点以上で合格となります。つまり時間効率を良くして解答していく必要があります。では、得点計画と解答順序を考えてみましょう。

	出題される内容	配点	目標点	受験生に一言	おすすめ解答順序
第１問	仕訳問題（15 題）	45 点	39 点	２問間違いなら OK ！	①
第２問 (1)	補助簿・勘定記入	12 点	6 点	ときには捨てる覚悟も	④
第２問 (2)	適語補充 など	8 点	6 点	普通に解ける問題です	③
第３問	財務諸表・精算表	35 点	35 点	ここは完璧を目指しましょう	②

※配点は多少前後します。

【第１問の対策】

簡単な問題も多くあります。20 分以内を目標に、正確に早く解けるように練習しておきましょう。

【第２問の対策】

⑴は解答箇所が多い割には配点が少ないので、場合によっては「捨てる権利」を行使すべき問題です。また⑵は、短時間で正解ができる問題ですので、ミスのないように落ち着いて解きましょう。

【第３問の対策】

第３問は配点が高いことが特徴です。15 分以内でパーフェクトに得点できるように練習しましょう。

100 点で合格はかっこいいものですが 70 点以上なら合格であることに変わりありません。「30 点を捨てる権利」を上手に行使していきましょう。

最初から本試験の姿を意識しながら学習すると、ムダな時間を使わずに済むね。ぜひこの得点計画を活かして頑張ろう！

ネット試験（ＣＢＴ方式）に向けた学習計画

ネット試験（ＣＢＴ方式）は随時実施されているので、テストセンターに空きがあればいつでも受験できる反面、「試験日を延ばそう…」という誘惑に負けて合格がズルズルと遠ざかっていく危険性もあります。きちんと受験時期の目標を立てて、計画的に学習しましょう。

① 勉強時間を作ろう

勉強時間は勝手に湧いてくるものではないので、普段の生活サイクルを見直して、「勉強に充てられる時間」をみつけましょう。

その際、１時間を超えるまとまった時間だけでなく、10分くらいの”スキマ時間”を見つけることも大切です。スマートフォンの利用履歴（スクリーンタイムなど）で、ゲームやＳＮＳに使っている時間を勉強時間に回せないかも確認しましょう。

勘定科目などは、スキマ時間に
何度も見直しながら覚えていくといいよ！

② 目標とする受験日を決めよう！

次に、受験時期を決めましょう。あまり先延ばしするとモチベーションが続かず、かといって無茶なスケジュールを立てても諦めたくなるので、「ちょっと頑張れば達成できる」目標にしましょう。

下の表では１週間の学習時間と目安となる受験時期の関係性をまとめているので、受験時期を決める際の参考にしてみて下さい。

１週間の予定総学習時間と学習時間のイメージ		目標受験時期
週 20 時間以上	毎日３時間 or 平日２時間＆週末 10 時間 etc…	**２～３週間後**
週 15 ～ 20 時間程度	毎日 2.5 時間 or 平日１時間＆週末 10 時間 etc…	**４週間後**
週 10 ～ 15 時間程度	毎日２時間 or 平日１時間＆週末７時間 etc…	**６週間後**
週５～ 10 時間程度	毎日１時間 or 週末まとめて７時間 etc…	**８週間後**

勉強時間が少ないと、勉強できない間に忘れる量が増えて復習が大変になるので、最低でも１週間で５～ 10時間程度の学習時間は頑張って確保しましょう。

統一試験（ペーパー試験）に向けた学習計画

統一試験は年３回（６月第２日曜日、11月第３日曜日、２月第４日曜日）の決まった日に全国一斉に実施されます。したがって、統一試験の受験を希望の方は、この年３回のチャンスに合わせて学習計画を立てなければなりません。

①　目標とする受験日を確認しよう

まずは次の試験日と近くの商工会議所の申込受付期間を確認しましょう。商工会議所によって異なりますが、統一試験は試験日の１～２か月前に受験の申込受付期間が設定されています。この申込受付期間までに勉強が始められるのであれば、直近の試験日を目標に学習の計画を立ててみましょう。

受験申込に関する詳細は、必ず受験予定地の商工会議所ホームページなどをチェックしよう！

② 勉強時間を作ろう

統一試験は年３回しか実施されず、チャンスを一度逃すと次の統一試験まで何か月も待たなければなりません。

したがって、目標とする統一試験の試験日が決まったら、試験日までの期間にどうしても外せない仕事、学校のテストなどの予定（「大切な用事」）とそれに必要な日数や時間を洗い出し、大切な予定に必要な時間以外でどれくらい簿記の勉強に回せるかを確認しましょう。

定期的なリフレッシュや休息、人付き合いなども大切ですが、試験の直前期（試験２～３週間前以降）は、できる限り試験勉強を優先させましょう。

統一試験の受験日が決まったら、その日までは「受験モード」に切り替えて、なるべく試験勉強を優先させたいね。

contents

基本問題にチャレンジ

本試験レベルにチャレンジ

解答解説

基本問題にチャレンジ

基礎編では、仕訳を中心とした基本問題にチャレンジしていきます。頻出論点の仕訳問題を解いて、基礎力を身に付けましょう。

① 問題1　一般知識

解答…P 128

次の問いに答えなさい。なお、2および3については漢字で解答すること。

1．15世紀イタリアで、簿記をまとめた『ズンマ』を作ったのは誰か？

2．簿記を日本に紹介したのは誰か？

3．「簿記」は、何の略だと言われているか？

1	2	3

② 問題2　自分貸借対照表を作ろう！

解答…P 128

以下の文章につき、正しいものには○を、誤っているものには×を付けなさい。

1．資産とは、現金、預金、備品、車両など、持っていてプラスになるものをいう。

2．負債とは、未払金や借入金のように、これから支払わなければならないものをいう。

3．資産から負債を差し引いたものを資本といい、会社が自由に使えるものでもある。

4．貸借対照表とは「一定時点における会社の財産の状況を一覧表で示したもの」であり、資産と負債のみが記載される。

5．簿記では、左側を常に借方、右側を常に貸方といい、資産と資本と収益は借方で増え、負債と費用は貸方で増加する。

1	2	3	4	5

③ 問題3　自分損益計算書を作ろう！

解答…P 128

以下の文章につき、正しいものには○を、誤っているものには×を付けなさい。

1．収益とは、資本の増加要因であり、費用とは資本の減少要因である。
2．収益と費用の差額が利益（または損失）であり、結果的に資本を増加（または減少）させる。
3．収益に区分される勘定科目は「受取」で始まるものが多く、費用に区分される勘定科目は「支払」で始まるものが多い。
4．損益計算書は「一定期間における儲け（または損失）を示したもの」である。

1	2	3	4

④ 問題4　貸借対照表と損益計算書

解答…P 129

下記に示した(1)、(2)それぞれの表について、（　　）内に適当な金額を記入しなさい。なお、表中の△を付した金額は損失を表している。また、(1)、(2)それぞれのA社、B社、C社は同じ会社である。

(1)

	当期の収益	当期の費用	当期の利益または損失
A社	¥　338,800	¥　268,800	（　¥　　）
B社	¥　252,000	（　¥　　）	△¥　49,000
C社	（　¥　　）	¥　308,000	¥　84,000

(2)

	期首の資本	当期の利益または損失	期末の資本
A社	¥　350,000	（　¥　　）	¥　420,000
B社	（　¥　　）	△¥　49,000	¥　315,000
C社	¥　441,000	¥　84,000	（　¥　　）

⑤ 問題5　ホームポジション

解答…P 130

次の要素を、借方（左側）で増加して、貸方（右側）で減少するものには「A」、借方で減少して貸方で増加するものには「B」と記入しなさい。

1．資産　2．負債　3．資本　4．収益　5．費用

1	2	3	4	5

問題6　貸借対照表項目の分類

解答…P 130

次の勘定科目を、資産・負債・資本に分類しなさい。
なお、資産…A　負債…B　資本…C　の記号で答えること。

①現　　金　②繰越利益剰余金　③普通預金　④未収入金
⑤前受金　⑥未収利息　⑦買掛金　⑧売掛金
⑨前払金　⑩前払保険料　⑪前受利息　⑫クレジット売掛金
⑬資本金　⑭仮受消費税　⑮受取手形　⑯未払金
⑰未払利息　⑱貸付金　⑲未払消費税　⑳預り金
㉑未収家賃　㉒前払利息　㉓前受家賃　㉔未払法人税等
㉕借入金

①	②	③	④	⑤	⑥	⑦	⑧	⑨	⑩
⑪	⑫	⑬	⑭	⑮	⑯	⑰	⑱	⑲	⑳
㉑	㉒	㉓	㉔	㉕					

問題7　損益計算書項目の分類

解答…P 130

次の勘定科目を、収益・費用に分類しなさい。
なお、収益…D　費用…E　の記号で答えること。

①売　　上	②売上原価	③通信費	④受取手数料
⑤支払家賃	⑥発送費	⑦法定福利費	⑧給　　料
⑨固定資産売却益	⑩雑　　費	⑪租税公課	⑫受取家賃
⑬減価償却費	⑭固定資産売却損	⑮雑　　益	⑯雑　　損

①	②	③	④	⑤	⑥	⑦	⑧	⑨	⑩
⑪	⑫	⑬	⑭	⑮	⑯				

問題8　5要素の分類

解答…P 131

次の勘定科目を、資産・負債・資本・収益・費用に分類しなさい。
なお、資産…A　負債…B　資本…C　収益…D　費用…E　の記号で答えること。

①仮払金	②受取地代	③社会保険料預り金	④仮受金
⑤従業員立替金	⑥租税公課	⑦法人税、住民税及び事業税	
⑧所得税預り金	⑨従業員貸付金	⑩償却債権取立益	⑪繰越利益剰余金
⑫保険料	⑬手形借入金	⑭手形貸付金	⑮仮払法人税等
⑯立替金	⑰仮受消費税	⑱利益準備金	⑲受取商品券
⑳仮払消費税			

①	②	③	④	⑤	⑥	⑦	⑧	⑨	⑩
⑪	⑫	⑬	⑭	⑮	⑯	⑰	⑱	⑲	⑳

問題 9　仕訳のルール

解答…P 131

武蔵商事株式会社の下記の4月中の取引について仕訳しなさい。ただし、勘定科目は、次の中から最も適当と思われるものを選び、正確に記入すること。

現　　金　借 入 金　貸 付 金　土　　地
受取利息　支払家賃　水道光熱費

1日　西都銀行から現金 ¥300,000 を借り入れた。

8日　取引先に依頼され、現金 ¥70,000 を貸し付けた。

12日　土地を ¥90,000 で購入し、代金は現金で支払った。

16日　利息 ¥10,000 を現金で受け取った。

27日　家賃 ¥70,000 と水道光熱費 ¥18,000 を現金で支払った。

	借方科目	金　額	貸方科目	金　額
1日				
8日				
12日				
16日				
27日				

⑥ 問題 10　勘定記入のルール

解答…P 132

武蔵商事株式会社の下記の4月中の取引にもとづいて、答案用紙の勘定口座に転記しなさい。また、現金勘定の残高を計算しなさい。

1日	（借）	現金	300,000	（貸）	借入金	300,000
8日	（借）	貸付金	70,000	（貸）	現金	70,000
12日	（借）	土地	90,000	（貸）	現金	90,000
16日	（借）	現金	10,000	（貸）	受取利息	10,000
27日	（借）	支払家賃	70,000	（貸）	現金	88,000
		水道光熱費	18,000			

現　　金

貸　付　金

土　　地

支払家賃

水道光熱費

借　入　金

受取利息

現金勘定の残高：　¥ ＿＿＿＿

⑦ 問題 11　現金の範囲

解答…P 133

以下の項目から、簿記上、現金として扱われるもの (通貨代用証券) を選び、記号で答えなさい。

ア. 他人振出小切手　イ. 他人振出の手形　ウ. 送金小切手
エ. 借用証書　オ. 納品書　カ. 領収書
キ. 配当金領収証　ク. 普通為替証書　ケ. 定額小為替証書

現金として扱われるもの

問題 12　現金の処理

解答…P 133

武蔵商事株式会社の下記の各取引について仕訳しなさい。ただし、勘定科目は、次の中から最も適当と思われるものを選び、正確に記入すること。

現　　金　受取利息　受取手数料

1. 大和商店より貸付金の利息 ¥38,000 を大和商店振出しの小切手で受け取った。
2. 三笠商事株式会社に取引先を紹介した手数料として、¥8,500 の普通為替証書が送られて来た。

	借方科目	金額	貸方科目	金額
1				
2				

⑧ 問題 13　銀行名を付した預金勘定
解答…P 133

下記の各取引について仕訳しなさい。ただし、勘定科目は、次の中から最も適当と思われるものを選び、正確に記入すること。なお、当社では預金勘定の後に銀行名を付して勘定科目としている。

普通預金 NET 銀行　　普通預金 ABC 銀行　　定期預金 ABC 銀行　　未 払 金

1．未払金￥800 の支払いを NET 銀行の普通預金口座から支払った。
2．ABC 銀行に預けてあった定期預金￥10,000 が満期となったので、同行の普通預金に預け替えた。
3．ABC 銀行の普通預金口座から￥3,000 を NET 銀行の普通預金口座に振り替えた。

	借 方 科 目	金　　額	貸 方 科 目	金　　額
1				
2				
3				

⑨ 問題 14　預金の処理

解答…P 134

武蔵商事株式会社の下記の各取引について仕訳しなさい。ただし、勘定科目は、次の中から最も適当と思われるものを選び、正確に記入すること。

現　　　金　当 座 預 金　普 通 預 金　定 期 預 金
支 払 地 代　支 払 手 数 料　水 道 光 熱 費

1．銀行で定期預金口座を開設し、￥500,000 を普通預金口座からの振り替えにより定期預金口座に入金した。また、小切手帳の交付を受け、手数料として￥2,000 を現金で支払った。
2．店舗の駐車場として使用している土地の当月分の賃借料 ￥35,000 を、小切手を振り出して支払った。
3．取引銀行のインターネットバンキングサービスから当座勘定照合表を参照したところ、次のとおりであった。必要な仕訳を答えなさい。

当座勘定照合表

	内　容	出金金額	入金金額	取引残高
(1)	普通預金より入金		500,000	省略
(2)	水道光熱費	9,000		

	借 方 科 目	金　額	貸 方 科 目	金　額
1				
2				
3(1)				
3(2)				

問題 15　勘定口座への記入

解答…P 135

次の当期中の取引にもとづいて、答案用紙の勘定口座へ記入しなさい。当会計期間は×7年4月1日から×8年3月31日までの1年間である。なお、勘定口座の記入にあたっては相手勘定科目と金額を（　　）内に記入しなさい。当期末の締切りを行う必要はない。

4月 1日　現金と預金の前期繰越額は、答案用紙に示したとおりである。
4月20日　対馬商店から備品￥10,000を購入し、代金は小切手を振り出して支払った。
4月30日　賃借している店舗の当期分の家賃￥1,200を現金で支払った。
11月10日　佐渡商店に取引先を斡旋した手数料￥12,000を佐渡商店振り出しの小切手で受け取り、ただちに当座預金とした。
2月27日　若宮銀行に定期預金口座を開設し、￥100,000を普通預金口座から入金した。
3月 2日　旅費交通費￥2,000が普通預金口座から引き落とされた。
3月31日　通信費￥18,000と水道光熱費￥8,000が普通預金口座から引き落とされた。

現　金　（単位：円）

日付	摘要	金額	日付	摘要	金額
4/1	前期繰越	70,000	4/30	（　　）	（　　）

普通預金　（単位：円）

日付	摘要	金額	日付	摘要	金額
4/1	前期繰越	300,000	2/27	（　　）	（　　）
			3/2	（　　）	（　　）
			3/31	（　　）	（　　）

定期預金　（単位：円）

日付	摘要	金額	日付	摘要	金額
2/27	（　　）	（　　）			

当座預金　（単位：円）

日付	摘要	金額	日付	摘要	金額
4/1	前期繰越	200,000	4/20	（　　）	（　　）
11/10	（　　）	（　　）			

⑩ 問題 16　収益の処理

解答…P 136

下記の各取引について仕訳しなさい。ただし、勘定科目は、次の中から最も適当と思われるものを選び、正確に記入すること。

現　　　金　普 通 預 金　当 座 預 金　受取手数料
受 取 家 賃　受 取 地 代

1．商品売買の仲介をし、その手数料￥18,000を現金で受け取った。
2．店舗の一部を賃貸し、1か月分の家賃￥50,000が普通預金口座に振り込まれた。
3．店舗の駐車場として貸し出している土地の1か月分の賃借料￥40,000が当座預金口座に振り込まれた。

	借 方 科 目	金　額	貸 方 科 目	金　額
1				
2				
3				

⑪ 問題 17　費用の処理①　解答…P 136

下記の各取引について仕訳しなさい。ただし、勘定科目は、次の中から最も適当と思われるものを選び、正確に記入すること。

現　　　金　普 通 預 金　当 座 預 金　保　険　料
通　信　費　倉　庫　料

1．店舗の火災保険料￥15,000 について、現金で支払った。
2．営業活動に使用している携帯電話の 1 か月分の料金￥24,000 が普通預金口座から引き落とされた。
3．商品の保管を委託している倉庫業者に、倉庫料￥3,000 を小切手を振り出して支払った。

	借 方 科 目	金　額	貸 方 科 目	金　額
1				
2				
3				

問題 18　費用の処理②

解答…P 137

下記の一連の取引について仕訳しなさい。ただし、勘定科目は、次の中から最も適当と思われるものを選び、正確に記入すること。

現　　金　貯　蔵　品　通　信　費　租　税　公　課

1．¥140 切手 100 枚を現金で購入した。
2．¥4,000 の収入印紙 10 枚を現金で購入した。
3．決算にさいし調べたところ、¥140 切手 30 枚が残っていた。
4．決算にさいし調べたところ、¥4,000 の収入印紙 4 枚が残っていた。

	借方科目	金　額	貸方科目	金　額
1				
2				
3				
4				

問題 19　費用の処理③

解答…P 138

ＮＳ株式会社の下記の取引について仕訳しなさい。ただし、勘定科目は、次の中から最も適当と思われるものを選び、正確に記入すること。

未　　払　　金　　消　耗　品　費

事務作業に使用する物品を購入し、品物とともに次の請求書を受け取り、代金は後日支払う（未払金勘定を用いる）ことにした。

請求書

ＮＳ株式会社　様

霧島商会株式会社

品物	数量	単価	金額
A3 印刷用紙	20	1,000	¥ 20,000
プリンターインク・イエロー	6	840	¥ 5,040
送料	―	―	¥ 1,000
	合計		¥ 26,040

X9 年 2 月 26 日までに合計額を下記口座へお振込み下さい。

東京銀行神保町支店　普通　8746314　キリシマシヨウカイ（カ

借方科目	金　額	貸方科目	金　額

⑫ 問題 20　商品売買の処理①　解答…P 139

第1問

下記の1～4における一連の取引について仕訳しなさい。ただし、勘定科目は、次の中から最も適当と思われるものを選び、正確に記入すること。

現金	当座預金	売掛金	前払金	買掛金	前受金
売上	仕入	発送費			

1．(1)　商品 ¥140,000 を売り上げ、代金は掛けとした。

　(2)　売り上げた商品の一部に品違いがあったため、商品 ¥14,000 の返品を受け、掛代金から差し引いた。

　(3)　売掛金 ¥180,000 が当座預金口座に振り込まれた。

2．(1)　商品 ¥210,000 の注文を受け付け、手付金として ¥28,000 を現金で受け取った。

　(2)　商品 ¥210,000 を売り上げ、代金のうち ¥28,000 はすでに受け取っていた手付金と相殺し、残額は掛けとした。

3．(1)　商品 ¥145,000 を仕入れ、代金は掛けとした。

　(2)　仕入れた商品の一部に品違いがあったため、商品 ¥14,000 の返品をし、掛代金から差し引いた。

　(3)　買掛金 ¥40,000 を当座預金口座から支払った。

4．(1)　商品 ¥210,000 の注文をし、手付金として ¥28,000 を現金で支払った。

　(2)　商品 ¥210,000 を仕入れ、代金のうち ¥28,000 はすでに支払った手付金と相殺し、残額は掛けとした。

第2問

第１問の１⑴～⑶の結果について、⒜当月純売上高 、⒝当月末時点の得意先に対する売掛金残高を示しなさい。なお、前月末の売掛金残高は￥293,000である。

第3問

第１問の３⑴～⑶の結果について、⒜当月純仕入高 、⒝当月末時点の仕入先に対する買掛金残高を示しなさい。なお、前月末の買掛金残高は￥28,000である。

第1問

		借方科目	金額	貸方科目	金額
1	⑴				
	⑵				
	⑶				
2	⑴				
	⑵				
3	⑴				
	⑵				
	⑶				
4	⑴				
	⑵				

第2問

⒜ 当月純売上高 ￥

⒝ 当月末時点の得意先に対する売掛金残高 ￥

第3問

⒜ 当月純仕入高 ￥

⒝ 当月末時点の仕入先に対する買掛金残高 ￥

問題 21　商品売買の処理②

解答…P 141

信濃株式会社の下記の各取引について仕訳しなさい。ただし、勘定科目は、次の中からもっとも適当と思われるものを選び、正確に記入すること。

売　掛　金　買　掛　金　売　　　上　仕　　　入

1. 商品を仕入れ、品物とともに次の請求書を受け取り、代金は後日支払うこととした。

請求書

信濃株式会社　御中

阿賀野食品株式会社

品物	数量	単価	金額
マンゴープリンセット	60	1,500	¥　90,000
イチゴ大福セット	20	2,000	¥　40,000
	合計		¥ 130,000

X9 年 5 月 30 日までに合計額を下記口座へお振込み下さい。

川名銀行新潟支店　普通　1234765　アガノシヨクヒン（カ

2．商品を売り上げ、品物とともに次の請求書の原本を発送し、代金の全額を掛代金として処理した。

請求書（控）

鬼怒商店　御中

信濃株式会社

品物	数量	単価	金額
マンゴープリンセット	60	1,800	¥ 108,000
イチゴ大福セット	20	2,500	¥ 50,000
	合計		¥ 158,000

X9 年 6 月 29 日までに合計額を下記口座へお振込み下さい。

川名銀行神保町支店　普通　1237765　シナノ（カ

	借　方　科　目	金　　額	貸　方　科　目	金　　額
1				
2				

問題 22　クレジット売掛金・受取商品券

解答…P 143

熊野ホビー株式会社の下記の各取引について仕訳しなさい。ただし、勘定科目は、次の中からもっとも適当と思われるものを選び、正確に記入すること。

現　　金	普　通　預　金	クレジット売掛金	受　取　商　品　券
備　　品	売　　　上		

1．店頭における一日分の売上の仕訳を行うにあたり、集計結果は次のとおりであった。また合計額のうち¥190,000はクレジットカード、残りは現金による決済であった。

売上集計表

X9年2月5日

品物	数量	単価	金額
ゲームソフト　限定版	20	9,500	¥190,000
ゲームソフト　通常版	50	7,400	¥370,000
	合計		¥560,000

2．上記1．のクレジットカードによる販売代金が、信販会社から、当社の普通預金口座に振り込まれた。

3．商品¥20,000を売り上げ、代金は鈴谷百貨店の商品券を受け取った。

4．商品の陳列棚¥60,000を購入し、代金のうち、上記3．の商品券をすべて引渡し、残額は現金で支払った。

	借方科目	金額	貸方科目	金額
1				
2				
3				
4				

⑬ 問題 23　売上原価の算定　　解答…P 144

次の資料にもとづいて、下記の各問に答えなさい。ただし、仕訳の勘定科目は、次の中から最も適当と思われるものを選び、正確に記入すること。

繰越商品　仕入　売上原価

期首商品棚卸高：¥　35,000　　当期商品仕入高：¥　105,000
期末商品棚卸高：¥　28,000　　売上高：¥　200,000

問 1

売上原価の算定にあたり、仕入勘定を用いる方法によって仕訳しなさい。

問 2

売上原価の算定にあたり、売上原価勘定を用いる方法によって仕訳しなさい。

問 3

当期の利益はいくらになるか示しなさい。

問 1　仕入勘定を用いる方法

	借方科目	金額	貸方科目	金額
1				
2				

問 2　売上原価勘定を用いる方法

	借方科目	金額	貸方科目	金額
1				
2				
3				

問 3　当期の利益　¥ ＿＿＿＿

問題 24　勘定口座への記入

解答…P 146

次の当期中の取引にもとづいて、答案用紙の勘定口座への記入を行いなさい。当会計期間は×７年４月１日から×８年３月31日までの１年間である。なお、勘定口座の記入にあたっては、相手勘定科目と金額を（　　）内に記入しなさい。当期末の締切りを行う必要はない。

４月１日　前期からの商品の繰越額は￥30,000である。商品の記帳は三分法による。

７月１日　商品￥50,000の注文をし、手付金として￥10,000を現金で支払った。

８月１日　商品￥50,000を仕入れ、代金のうち￥10,000はすでに支払った手付金と相殺し、残額は掛けとした。

８月２日　前日に仕入れた商品の一部に品違いがあったため、商品￥3,000を返品し、掛代金から差し引いた。

１月１日　得意先より商品の注文があり、手付金￥15,000を現金で受け取った。

２月１日　商品を￥100,000で売上げ、代金は手付金を除いた残額を掛けとした。

３月31日　仕入勘定で売上原価を算定する。期末商品棚卸高は￥18,000である。

繰越商品　　　　(単位：円)

4/1	前期繰越	30,000	3/31	(　　　)	(　　　)
3/31	(　　　)	(　　　)			

売　　上　　　　(単位：円)

			2/1	(　　　)	(　　　)

仕　　入　　　　(単位：円)

8/1	(　　　)	(　　　)	8/2	(　　　)	(　　　)
3/31	(　　　)	(　　　)	3/31	(　　　)	(　　　)

⑭ 問題 25　約束手形の処理

解答…P 147

下記の１、２それぞれにおける一連の取引について仕訳しなさい。ただし、勘定科目は、次の中から最も適当と思われるものを選び、正確に記入すること。

当座預金　売掛金　受取手形　買掛金
支払手形　売上　仕入

1．(1)　千葉商店より商品 ¥196,000 を仕入れ、代金は掛けとした。

(2)　千葉商店に対する買掛金 ¥196,000 を支払うため、同店宛ての約束手形を振り出した。

(3)　千葉商店に振り出した約束手形が満期日をむかえ、当座預金口座から引き落とされた。

2．(1)　東京商店に商品 ¥266,000 を売り上げ、代金は掛けとした。

(2)　東京商店に対する売掛金の回収として、同店振出しの約束手形 ¥266,000 を受け取った。

(3)　東京商店振出しの約束手形が満期日をむかえ、当座預金口座に振り込まれた。

		借方科目	金額	貸方科目	金額
1	(1)				
	(2)				
	(3)				
2	(1)				
	(2)				
	(3)				

⑮ 問題 26　貸付金と借入金

解答…P 148

下記の各取引について仕訳しなさい。ただし、勘定科目は、次の中から最も適当と思われるものを選び、正確に記入すること。

現　　　金	普通預金	当座預金	受取手形
貸　付　金	手形貸付金	支払手形	借　入　金
手形借入金	支払利息	受取利息	

1．東京商店に現金 ¥140,000 を貸し付け、借用証書を受け取った。

2．千葉商店に現金 ¥70,000 を貸し付け、同額の約束手形を受け取った。

3．世田谷商店に対する約束手形の受取りによる貸付金 ¥16,800 を利息 ¥1,820 とともに現金で回収した。

4．石川商店より現金 ¥28,000 を借り入れ、借用証書を渡した。

5．銀行より ¥42,000 を借り入れ、同額の約束手形を振り出し、利息 ¥1,400 を差し引かれた残額が普通預金口座に振り込まれた。

6．取引銀行から入出金明細を参照したところ、次のとおりであった。そこで 10 月 25 日に必要な仕訳を答えなさい。

X9 年 11 月 6 日

当座勘定照合表

取引日	摘要	お支払金額	お預り金額	取引残高
10.25	融資ご返済	600,000		省略
10.25	融資お利息	6,000		

	借方科目	金　額	貸方科目	金　額
1				
2				
3				
4				
5				
6				

⑯ 問題 27　役員貸付金と役員借入金　解答…P 149

下記の各取引について仕訳しなさい。ただし、勘定科目は、次の中から最も適当と思われるものを選び、正確に記入すること。

普 通 預 金　当 座 預 金　役 員 貸 付 金　役 員 借 入 金

1．当社の常務取締役Ｎ氏に資金を貸し付ける目的で￥700,000を普通預金口座から引き落とした。
2．常務取締役Ｎ氏に貸し付けた￥700,000のうち￥400,000が返済され、普通預金口座に振り込まれた。
3．会社の資金繰りが悪化してきたため、代表取締役Ｋ氏が個人の資産から現金￥1,000,000を会社の当座預金口座に入金した。
4．会社の業績が回復してきたため、代表取締役Ｋ氏からの借入金￥1,000,000を普通預金口座より返済した。

	借 方 科 目	金　額	貸 方 科 目	金　額
1				
2				
3				
4				

⑰ 問題 28　電子記録債権と電子記録債務　解答…P 150

下記の一連の取引について仕訳しなさい。ただし、勘定科目は、次の中から最も適当と思われるものを選び、正確に記入すること。

当　座　預　金　　普　通　預　金　　売　　掛　　金　　電子記録債権
買　　掛　　金　　電子記録債務

1．最上商店株式会社は、利根商店株式会社に対する買掛金￥300,000の支払いを電子債権記録機関で行うため、取引銀行を通して債務の発生記録を行った。また利根商店株式会社は取引銀行よりその通知を受けた。⑴最上商店株式会社および⑵利根商店株式会社の仕訳を示しなさい。
2．最上商店株式会社に対する電子記録債権￥300,000について、支払期日が到来し、利根商店株式会社の当座預金口座に振り込まれた。
3．利根商店株式会社に対する電子記録債務￥300,000について、支払期日が到来し、最上商店株式会社の普通預金口座から引き落とされた。

		借方科目	金額	貸方科目	金額
1	⑴				
	⑵				
2					
3					

⑱ 問題29　未収入金と未払金　解答…P 151

下記の各取引について仕訳しなさい。ただし、勘定科目は、次の中から最も適当と思われるものを選び、正確に記入すること。

現金	当座預金	売掛金	未収入金
買掛金	未払金	売上	消耗品費

1．茨城商店は、筑波商店に商品を ¥140,000 で売却し、代金は月末に受け取ることにした。
2．月末になり、茨城商店は上記1．の代金を小切手で受け取った。
3．埼玉商店は、消耗品 ¥30,000 を購入し、代金は月末に支払うことにした。
4．月末になり、埼玉商店は上記3．の未払金について小切手を振り出して支払った。

	借方科目	金額	貸方科目	金額
1				
2				
3				
4				

コラム　必然的な偶然

実は、幸運にも合格した人は口を揃えてこう言います。

「いやー、たまたま前の日に見たところが出てねー」

「いやー、たまたま会場に行く途中に見たところが出てねー」

と、いかにも偶然に運が良かったかのように。

また逆に、実力はありながら惜しくも不合格となった人は口を揃えてこう言います。

「いやー、あそこでケアレスミスをしてしまって……」

と、あたかも偶然にミスしたかのように。

しかし、私から見るとそれは偶然ではなく必然です。

幸運にも合格した方も、前の日に勉強しなかったら、また試験会場に行く途中に勉強しなかったら、その幸運は起こらなかったのです。

また、惜しくも不合格となった方に「そのミスをしたのは、その試験のときが初めてでしたか？」と聞くと「いや、答案練習のときにも……」と返ってくる。ケアレスミスは、その人の持つ癖ですから、突然にはじまるものではないのです。

つまり、最後まで諦めなかった人が必然的に幸運を手にし、自分のことをよくわかっていなかった人が、必然的にケアレスミスをして失敗するのです。

まず、この点を心しておきましょう。

そして最後には、自分の幸運を信じることです。愛情も友情も神も仏も、目に見えないものは信じた者にのみあるのですから。

あなたは絶対に運がいい。こうして、このコラムが読めたのだから。

問題 30　勘定口座への記入

解答…P 152

次の当期中の取引にもとづいて、答案用紙の勘定口座への記入を行いなさい。当会計期間は×7年4月1日から×8年3月31日までの1年間である。なお、勘定口座の記入にあたっては、相手勘定科目と金額を(　　)内に記入しなさい。当期末の締切りを行う必要はない。商品の記帳は三分法による。

4月　1日　前期からの受取手形の繰越額は、横浜商店から受け取った約束手形¥30,000である。

4月10日　千葉商店より商品¥60,000を仕入れ、代金のうち¥50,000は同店宛ての約束手形を振り出し、残額は掛けとした。

5月28日　千葉商店に対して振り出した約束手形¥50,000が満期日をむかえ、当座預金から引き落とされた。

6月30日　千葉商店に対する買掛金¥10,000について、小切手を振り出して支払った。

2月　1日　銚子商店より商品¥80,000を仕入れ、同店宛ての約束手形¥80,000を振り出して支払った。

2月25日　江の島商店に商品¥200,000を売上げ、代金として以下の小切手と約束手形を受け取った。

Bank

小　切　手

支払地
神奈川銀行横浜支店
¥50,000 ※
上記の金額をこの小切手と引替に
持参人へお支払いください。
振出日　×8年2月24日

江の島商店

振出地　神奈川県横浜市　　振出人　代表取締役　鶴見　太郎　㊞

約 束 手 形		
収 入 印 紙 200円 ㊞	株式会社東京商事 殿 ¥150,000 ※	支払期日 ×8年3月26日 支払地 神奈川県横浜市 支払場所 神奈川銀行横浜支店

上記金額をあなたまたはあなたの指図人へこの約束手形を引替えにお支払いいたします

振出地 神奈川県横浜市

振出人 江の島商店

代表取締役 鶴見 太郎 ㊞

3月26日 江の島商店振出しの約束手形が満期をむかえ、当座預金口座に振り込まれた。

3月31日 銚子商店に対して振り出した約束手形¥80,000が満期日をむかえ、当座預金から引き落とされた。

受取手形 (単位：円)

4/1 前期繰越	30,000	3/26 ( )	( )
2/25 ( )	( )		

支払手形 (単位：円)

5/28 ( )	( )	4/10 ( )	( )
3/31 ( )	( )	2/1 ( )	( )

⑲ 問題 31　固定資産の処理①

解答…P 153

武蔵商事株式会社の下記の各取引について仕訳しなさい。ただし、勘定科目は、次の中から最も適当と思われるものを選び、正確に記入すること。

現　　　金	当座預金	普通預金	建　　　物
備　　　品	土　　　地	未　払　金	建物減価償却累計額
備品減価償却累計額	減価償却費	固定資産売却損	固定資産売却益
修　繕　費			

1．出店用の土地 200㎡を１㎡あたり ¥18,000 で購入し、購入手数料 ¥120,000 を含む代金の全額を小切手を振り出して支払った。また、この土地の整地費用 ¥80,000 を現金で支払った。

2．決算において、当期首に取得した建物（ 取得原価 ¥1,200,000 ）について、残存価額はゼロ、耐用年数は 40 年として、定額法により減価償却を行う。なお、間接法によること。

3．期首より７か月経過したのち、建物（ 取得原価 ¥1,200,000、減価償却累計額 ¥1,080,000、残存価額ゼロ、耐用年数 40 年、減価償却の計算は定額法、間接法で記帳）を ¥130,000 で売却し、代金は現金で受け取った。なお、会計期間は１年間であり、減価償却費は月割りで計算する。

4．業務用パソコン（10 台）を ¥1,050,000 で購入し、代金は後日支払うこととした。また、その引取運送費として ¥30,000 を現金で支払った。

5．期首より３か月経過したのち、備品（取得原価 ¥1,080,000、減価償却累計額 ¥810,000、残存価額ゼロ、耐用年数４年、減価償却は定額法で計算、間接法で記帳）が不用になったので、¥80,000 で売却し、代金は現金で受け取った。なお、会計期間は１年間であり、減価償却費は月割りで計算する。

6．建物の壁を防火壁にするための代金 ¥300,000 と定期修繕費 ¥50,000 を普通預金口座から支払った。

	借 方 科 目	金　　額	貸 方 科 目	金　　額
1				
2				
3				
4				
5				
6				

問題 32　固定資産の処理②

解答…P 155

武蔵商事株式会社の下記の各取引について仕訳しなさい。ただし、勘定科目は、次の中から最も適当と思われるものを選び、正確に記入すること。

現　　　金　備　　　品　未　払　金　消耗品費

1．事務作業に使用する物品を購入し、品物とともに次の請求書を受け取り、代金は後日支払うこととした。

請求書

武蔵商事株式会社　様

株式会社文京電器

品物	数量	単価	金額
デスクトップパソコン	1	250,000	¥ 250,000
セットアップ費用			¥　20,000
	合計		¥ 270,000

X8 年 5 月 31 日までに合計額を下記口座へお振込み下さい。

東京銀行千駄木支店　普通　1234567　カ）ブンキヨウデンキ

2．事務作業に使用する物品を購入し、品物とともに次の請求書を受け取り、代金は後日支払うこととした。

請求書

武蔵商事株式会社　様

株式会社文京電器

品物	数量	単価	金額
オフィスデスク	1	100,000	¥ 100,000
A4 コピー用紙	10	450	¥ 4,500
	合計		¥ 104,500

X8 年 5 月 31 日までに合計額を下記口座へお振込み下さい。

東京銀行千駄木支店　普通　1234567　カ）ブンキヨウデンキ

	借　方　科　目	金　　額	貸　方　科　目	金　　額
1				
2				

問題 33　勘定口座への記入　解答…P 156

次の当期中の取引にもとづいて、答案用紙の勘定口座への記入を行いなさい。当会計期間は×７年４月１日から×８年３月31日までの１年間である。なお、勘定口座の記入にあたっては、相手勘定科目と金額を（　　）内に記入しなさい。当期末の締切りを行う必要はない。

4月10日	土地¥800,000を購入し、代金は小切手を振り出して支払った。
4月20日	建物を¥1,000,000で取得し、購入手数料¥200,000とともに小切手を振り出して支払った。なお、建物は５月１日より使用を開始した。
11月30日	建物（取得原価¥600,000、期首減価償却累計額¥120,000、耐用年数50年、残存価額ゼロ、定額法、間接法で記帳）を¥460,000で売却し、代金は当座預金口座に振り込まれた。減価償却費は月割りで計算する。
12月　1日	備品を¥145,000で取得し、据付費¥5,000とともに小切手を振り出して支払った。備品は本日より使用を開始した。
3月31日	減価償却を以下の要領で、月割計算により行う。 建物　減価償却方法：定額法、間接法、耐用年数：50年 備品　減価償却方法：定額法、間接法、耐用年数：10年 建物、備品ともに残存価額はゼロとする

土　地　(単位：円)

4/10 (　　) (　　)	

建　物　(単位：円)

4/1 前期繰越 600,000	11/30 (　　) (　　)
4/20 (　　) (　　)	

建物減価償却累計額　(単位：円)

11/30 建　物 (　　)	4/1 前期繰越 120,000
	3/31 (　　) (　　)

備　品　(単位：円)

12/1 (　　) (　　)	

備品減価償却累計額　(単位：円)

	3/31 (　　) (　　)

⑳ 問題 34　仮払金と仮受金　解答…P 158

下記の一連の取引について仕訳しなさい。ただし、勘定科目は、次の中から最も適当と思われるものを選び、正確に記入すること。

現　　　金　売　掛　金　仮　払　金　仮　受　金
旅費交通費

1．⑴　従業員の出張にさいし、旅費の概算額 ¥23,000 を現金で渡した。

⑵　出張から戻った従業員から次の領収書および報告書が提出されるとともに、かねて概算払いしていた¥23,000 との差額を現金で受け取った。

領収書
運賃¥10,500
上記のとおり領収致しました。
イースト鉄道（株）

領収書
運賃¥10,500
上記のとおり領収致しました。
イースト鉄道（株）

旅費交通費等報告書

移動先	手段等	領収書	金額
新潟駅	新幹線	有	¥10,500
東京駅	新幹線	有	¥10,500
	合計		¥21,000

2．⑴　出張中の従業員から、現金 ¥35,000 の送金があったものの、内容は不明である。

⑵　従業員が出張から戻り、送金のあった ¥35,000 は、得意先からの売掛金の回収額であることが判明した

		借方科目	金額	貸方科目	金額
1	(1)				
	(2)				
2	(1)				
	(2)				

㉑ 問題 35　立替金と預り金

解答…P 159

下記の一連の取引について仕訳しなさい。ただし、勘定科目は、次の中から最も適当と思われるものを選び、正確に記入すること。

現　　　金　従業員立替金　所得税預り金　社会保険料預り金
給　　　料　法定福利費

1．従業員負担の保険料 ￥14,000 を現金で立て替えた。
2．従業員の５月分の給料総額 ￥280,000 のうち、立替分 ￥14,000、所得税の源泉徴収額 ￥21,000 および社会保険料預り金 ￥12,000 を差し引いた残額を現金で支給した。
3．５月分の所得税の源泉徴収額 ￥21,000 を現金で納付した。
4．給料の支払時に差し引いていた社会保険料 ￥12,000 と同額の会社負担額を併せて現金で納付した。

	借方科目	金額	貸方科目	金額
1				
2				
3				
4				

㉒ 問題36 法人税等

解答…P 160

長良商事株式会社の下記の一連の取引について仕訳しなさい。ただし、勘定科目は、次の中から最も適当と思われるものを選び、正確に記入すること。

普通預金　仮払法人税等　法人税、住民税及び事業税　未払法人税等

1．以下の納付書にもとづき、長良商事株式会社の普通預金口座から振り込んだ。

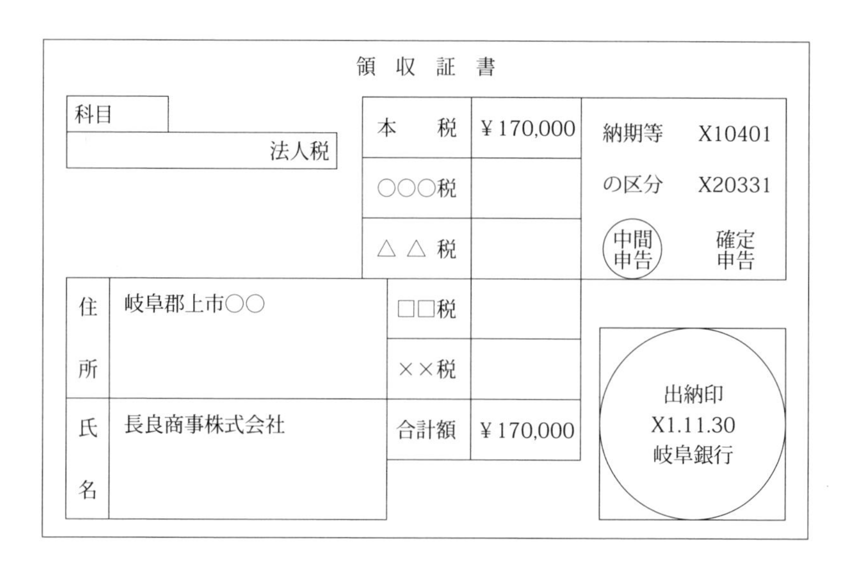

領収証書

科目	法人税
住所	岐阜郡上市○○
氏名	長良商事株式会社

税目	金額
本税	¥170,000
○○○税	
△△税	
□□税	
××税	
合計額	¥170,000

納期等の区分　X10401　X20331

中間申告（○印）　確定申告

出納印　X1.11.30　岐阜銀行

2．決算にあたり、当期の法人税¥250,000、住民税¥50,000、事業税¥56,000が確定した。

3．以下の納付書にもとづき、長良商事株式会社の普通預金口座から振り込んだ。

領 収 証 書

科目	
法人税	

税目	金額
本　税	¥186,000
○○○税	
△△税	
□□税	
××税	
合計額	¥186,000

納期等の区分 X10401 X20331

中間申告　確定申告（○）

住所	岐阜郡上市○○
氏名	長良商事株式会社

出納印
X2.5.31
岐阜銀行

	借 方 科 目	金　額	貸 方 科 目	金　額
1				
2				
3				

問題 37　消費税

解答…P 162

株式会社加賀百貨店の下記の一連の取引について仕訳しなさい。ただし、勘定科目は、次の中から最も適当と思われるものを選び、正確に記入すること。なお、当社は消費税について税抜方式で処理している。

現　　金　　普通預金　　売 掛 金　　仮払消費税
買 掛 金　　仮受消費税　　未払消費税　　売　　上
仕　　入

1．商品を仕入れ、品物とともに次の請求書を受け取り、代金は後日支払うこととした。

請求書

株式会社加賀百貨店　御中

赤城宝石株式会社

品物	数量	単価	金額
ダイヤモンドペンダント	5	¥　30,000	¥ 150,000
トパーズリング	2	¥　45,000	¥　90,000
アメジストブローチ	6	¥　15,000	¥　90,000
	消費税		¥　33,000
	合計		¥ 363,000

X9 年 10 月 29 日までに合計額を下記口座へお振込み下さい。

石川銀行金沢支店　普通　5136494　アカギホウセキ（カ

2．商品を売り上げ、品物とともに次の請求書の原本を発送し、代金の全額を掛代金として処理した。

請求書（控）

上杉商店　御中

株式会社加賀百貨店

品物	数量	単価	金額
ダイヤモンドペンダント	5	¥　50,000	¥250,000
トパーズリング	2	¥　75,000	¥150,000
アメジストブローチ	6	¥　30,000	¥180,000
	消費税		¥　58,000
	合計		¥638,000

X9年11月29日までに合計額を下記口座へお振込み下さい。

石川銀行金沢支店　普通　7531469　カ）カガヒヤツカテン

3．決算にあたり、商品売買取引に係る消費税の納付額を計算し、これを確定した。

4．消費税の未払額を現金で納付した。

	借方科目	金　額	貸方科目	金　額
1				
2				
3				
4				

㉔ 問題 38　現金過不足の処理

解答…P 163

武蔵商事株式会社の下記の1～4における各取引について仕訳しなさい。ただし、勘定科目は、次の中から最も適当と思われるものを選び、正確に記入すること。

現　　金	現金過不足	雑　　益	旅費交通費	
通信費	雑　　損			

1．⑴　金庫の現金を調べたところ、帳簿の残高より ￥3,000 不足していた。

⑵　上記⑴の現金過不足について、その原因を調べたところ、旅費交通費 ￥3,000 の記帳漏れとわかった。

2．月末に金庫を実査したところ、紙幣 ￥70,000、硬貨 ￥4,060、得意先振出しの小切手 ￥7,000、約束手形 ￥14,000、郵便切手 ￥700 が保管されていたが、現金出納帳の残高は ￥81,200 であった。不一致の原因を調べたが原因は判明しなかったので、現金過不足勘定で処理することにした。

3．⑴　期末において、現金過不足勘定の残高が貸方に ￥800 ある。原因がわからなかったので雑損または雑益として処理する。

⑵　期末において、現金過不足勘定の残高が借方に ￥600 ある。原因がわからなかったので雑損または雑益として処理する。

4．期末に金庫の現金を調べたところ、帳簿の残高より実際有高が ￥2,500 不足していた。その原因を調べたところ、￥1,800 は通信費の記帳漏れであることが判明したが、残りは原因がわからなかったので雑益または雑損として処理する。

		借方科目	金額	貸方科目	金額
1	(1)				
	(2)				
2					
3	(1)				
	(2)				
4					

㉕ 問題 39　試算表の作成①　解答…P 164

次の資料にもとづいて、×８年 10 月 31 日における合計試算表を作成しなさい。

[資料Ⅰ]

合計試算表
×８年 10 月 24 日

借方	勘定科目	貸方
16,000	現金	10,400
35,560	当座預金	28,000
30,400	受取手形	24,000
45,000	売掛金	33,600
11,200	繰越商品	
3,200	備品	
27,200	支払手形	32,000
37,600	買掛金	45,600
	資本金	20,000
	繰越利益剰余金	6,000
1,600	売上	49,600
40,000	仕入	800
960	給料	
480	支払家賃	
800	雑費	
250,000		250,000

[資料Ⅱ]

10 月 25 日から 10 月 31 日までの取引

25 日　売上：掛￥7,500
　　　仕入：掛￥4,800
27 日　売掛金￥9,300 を約束手形で回収した。
28 日　従業員の給料￥600 を現金で支払った。
〃　　手許現金のうち￥1,300 を当座預金に預け入れた。
29 日　仕入：掛￥1,200　約束手形振出￥300

30日　約束手形を振り出して、買掛金￥7,200を支払った。

〃　8月に振り出した約束手形￥2,400の期日が到来し、当座預金口座より引き落とされた。

〃　雑費￥400を現金で支払った。

合　計　試　算　表

×8年10月31日

借方合計	勘定科目	貸方合計
	現金	
	当座預金	
	受取手形	
	売掛金	
	繰越商品	
	備品	
	支払手形	
	買掛金	
	資本金	
	繰越利益剰余金	
	売上	
	仕入	
	給料	
	支払家賃	
	雑費	

第9章

問題 40　試算表の作成②

解答…P 168

次の資料にもとづいて、×8年10月31日における残高試算表を作成しなさい。

[資料Ⅰ]

合計試算表
×8年10月24日

借方	勘定科目	貸方
32,000	現金	20,800
71,120	当座預金	56,000
60,800	受取手形	48,000
90,000	売掛金	67,200
22,400	繰越商品	
6,400	備品	
54,400	支払手形	64,000
75,200	買掛金	91,200
	資本金	40,000
	繰越利益剰余金	12,000
3,200	売上	99,200
80,000	仕入	1,600
1,920	給料	
960	支払家賃	
1,600	雑費	
500,000		500,000

[資料Ⅱ]　×8年10月25日から10月31日までの取引

(1) 現金に関する取引

a	従業員への給料の支払い	¥ 1,200
b	雑費の支払い	¥ 800
c	当座預金への預入れ	¥ 2,600

(2) 当座預金に関する取引

a	現金の預入れ	¥ 2,600
b	約束手形の期日支払い	¥ 4,800

(3) 仕入れに関する取引

a 掛仕入れ ¥12,000

b 約束手形の振出しによる仕入れ ¥ 600

(4) 売上げに関する取引

a 掛売上げ ¥15,000

(5) その他の取引

a 売掛金の約束手形による回収 ¥18,600

b 買掛金の約束手形による支払い ¥14,400

残高試算表

×8年10月31日

借方	勘定科目	貸方
	現金	
	当座預金	
	受取手形	
	売掛金	
	繰越商品	
	備品	
	支払手形	
	買掛金	
	資本金	
	繰越利益剰余金	
	売上	
	仕入	
	給料	
	支払家賃	
	雑費	

㉖ 問題 41　誤処理の訂正

解答…P 170

次の資料にもとづいて、訂正仕訳をしなさい。ただし、勘定科目は、次の中から最も適当と思われるものを選び、正確に記入すること。

売　掛　金　支払手形　買　掛　金　前　受　金
売　　　上　仕　　　入

1．得意先三笠商店から売掛金￥80,000を現金で回収したさい、誤って売上に計上していたことが判明したので、本日これを訂正する。
2．雲龍商店から商品の手付金￥6,000を受け取っていたが、これを売掛金から控除していた。決算に当たり、修正する。
3．買掛金の支払いのために振り出した約束手形￥69,000が￥96,000と記帳されていたことが判明したのでその修正を行った。

	借方科目	金額	貸方科目	金額
1				
2				
3				

㉗ 問題 42　株式会社の設立

解答…P 171

下記の各取引について仕訳しなさい。ただし、勘定科目は、次の中から最も適当と思われるものを選び、正確に記入すること。

普通預金　当座預金　差入保証金　資本金
支払手数料　支払家賃

1．株式会社の設立にあたり、株式 1,000 株を 1 株あたり ¥4,000 で発行し払込金額は当座預金とした。
2．新事務所を賃借し、1 か月分の家賃 ¥105,000、不動産会社への手数料 ¥400,000、敷金 ¥210,000 を普通預金口座から振り込んだ。

	借方科目	金額	貸方科目	金額
1				
2				

28 問題43　帳簿の締切り

解答…P 173

次の決算整理後の各勘定の残高にもとづいて、決算振替仕訳を行い、総勘定元帳（略式）の記入をしなさい。なお、[　　] 内には勘定科目を、（　　）内には金額を記入すること。

1．次の諸勘定の残高を損益勘定に振り替える。

売　　上 ¥55,000　仕　　入 ¥11,000　受取利息 ¥1,100
支払家賃 ¥5,500

2．上記1．の損益勘定の残高を繰越利益剰余金勘定に振り替える。

	借方科目	金額	貸方科目	金額
1				
2				

売　上

[　　]	（　　）	諸　口	55,000

受取利息

[　　]	（　　）	現　金	1,100

仕　入

諸　口	11,000	[　　]	（　　）

支払家賃

当座預金	5,500	[　　]	（　　）

損　益

[　　]	（　　）	[　　]	（　　）
[　　]	（　　）	[　　]	（　　）
[　　]	（　　）		
	（　　）		（　　）

㉙ 問題 44　株主への配当

解答…P 174

下記の各取引について仕訳しなさい。ただし、勘定科目は、次の中から最も適当と思われるものを選び、正確に記入すること。

損　　　　益　　繰越利益剰余金　　利 益 準 備 金　　未 払 配 当 金

1．決算にあたり、当期純利益￥300,000 を計上した。

2．繰越利益剰余金の処分を次のとおり決定した。

　　配当金：￥200,000　　利益準備金の積立て：￥20,000

	借 方 科 目	金　額	貸 方 科 目	金　額
1				
2				

㉚ 問題 45　決算手続き

解答…P 174

以下の文章につき、正しいものには○を、誤っているものには×を付けなさい。

1．「一定時点における会社の財産の状況」を示すのが貸借対照表であり、「一定期間における会社の儲け」を示すのが損益計算書である。

2．決算の流れには大きく分けて「精算表の作成」と「財務諸表の作成」の２つがある。

3．期中の処理が正しくても、決算日における財産の状態や当期における儲けを正しく示すとは限らないので、それを正しく示すために決算整理仕訳が行われる。

1	2	3

㉛ 問題46　決算整理

解答…P 174

次の文のア～カにあてはまる最も適当な語句を下記の **[語群]** から選び、答案用紙に記入しなさい。

1．決算手続きを行う際に帳簿上の残高が正しいかどうかを確認するための表を（　ア　）という。
2．決算の目的は、当期の収益と費用を正しく計算し、正しい（　イ　）を算定するとともに、資産・負債・資本の金額が（　ウ　）を正しく示すようにすることにある。
3．決算のアウトラインをみるために作成する表を（　エ　）という。
4．期中の処理が正しくても、当期における会社の状況を正しく示しているとは限らない。そこで、決算の際に会社の状況を正しく示すために行う仕訳を（　オ　）という。
5．損益計算書や貸借対照表など外部に公表する表を（　カ　）という。

[語群]

財務諸表	財産表	固定資産台帳	当期首残高
期中取引高	当期末残高	試算表	精算表
残高	利益	再振替仕訳	決算整理仕訳

(ア)		(イ)		(ウ)	
(エ)		(オ)		(カ)	

㉜ 問題 47　当座借越の処理

解答…P 175

下記の一連の取引について仕訳しなさい。ただし、勘定科目は、次の中から最も適当と思われるものを選び、正確に記入すること。

現　　　金　当座預金　当座借越　仕　　　入
支払手形　買　掛　金

1．商品 ¥5,600 を仕入れ、代金は小切手を振り出して支払った。なお、当座預金勘定の前期繰越高は ¥4,200 である。また、当社は、取引銀行との間で借越限度額 ¥10,000 の当座借越契約を結んでいる。
2．現金 ¥4,200 を当座預金口座に預け入れた。
3．買掛金 ¥5,000 を決済し、代金は小切手を振り出して支払った。
4．支払手形 ¥3,000 を、当座預金口座より決済した。
5．決算にあたり、当座預金の貸方残高を適切な勘定に振り替える。

	借方科目	金額	貸方科目	金額
1				
2				
3				
4				
5				

㉝ 問題 48　貸倒れの処理と貸倒引当金の設定　解答…P 176

下記の各取引について仕訳しなさい。ただし、勘定科目は、次の中から最も適当と思われるものを選び、正確に記入すること。

当座預金	売掛金	貸倒引当金	売上
償却債権取立益	貸倒引当金戻入	貸倒損失	貸倒引当金繰入

1. 当期に発生した売掛金 ¥2,000が貸し倒れた。なお、貸倒引当金残高は ¥4,000であった。
2. 前期に発生した売掛金 ¥5,000が貸し倒れた。なお、貸倒引当金残高は ¥4,000であった。
3. 前期に貸倒れとして処理していた売掛金 ¥6,000が回収され、当座預金口座に振り込まれた。
4. 売掛金の期末残高 ¥613,000に対して、2％の貸倒引当金を差額補充法により設定する。なお、貸倒引当金の期末残高は ¥2,400であった。
5. 売掛金の期末残高 ¥613,000に対して、2％の貸倒引当金を差額補充法により設定する。なお、貸倒引当金の期末残高は ¥13,000であった。

	借方科目	金額	貸方科目	金額
1				
2				
3				
4				
5				

㉞ 問題 49　費用の前払い

解答…P 177

次の資料にもとづいて、決算整理仕訳をしなさい。なお、当社の会計期間は×7年4月1日から×8年3月31日までの1年である。ただし、勘定科目は、次の中から最も適当と思われるものを選び、正確に記入すること。

前払家賃　前払保険料　前払利息　前払地代
支払利息　支払地代　支払家賃　保険料

1．支払地代について未経過分が ¥27,000 ある。
2．支払利息のうち ¥9,600 は翌期分である。
3．保険料 ¥108,000 は、×7年10月1日に向こう1年分を小切手を振り出して支払ったものである。
4．×8年3月1日に、倉庫として使用する目的で建物の賃借契約（年額¥240,000）を結んだ。この契約で、家賃は3月1日と9月1日に向こう半年分を支払うことになっている。

	借方科目	金額	貸方科目	金額
1				
2				
3				
4				

㉟ 問題 50　収益の前受け

解答…P 178

次の資料にもとづいて、決算整理仕訳をしなさい。なお、当社の会計期間は×7年4月1日から×8年3月31日までの1年である。ただし、勘定科目は、次の中から最も適当と思われるものを選び、正確に記入すること。

前受家賃　前受地代　前受利息　前受手数料
受取地代　受取利息　受取手数料　受取家賃

1．手数料の前受分が ¥6,000 ある。
2．受取利息のうち ¥4,500 は翌期分である。
3．受取家賃 ¥16,200 は、×7年11月1日に向こう1年分を現金で受け取ったものである。
4．受取地代は偶数月の月末に向こう2か月分として ¥14,000 を受け取っている。

	借方科目	金　額	貸方科目	金　額
1				
2				
3				
4				

㊱ 問題 51　費用の未払い

解答…P 179

次の資料にもとづいて、決算整理仕訳をしなさい。なお、当社の会計期間は×7年4月1日から×8年3月31日までの1年である。ただし、勘定科目は、次の中から最も適当と思われるものを選び、正確に記入すること。

未払利息	未払家賃	未払法定福利費	未払地代
法定福利費	支払地代	支払利息	支払家賃

1．支払地代の未払分が ¥14,000 ある。
2．社会保険料の当社負担分 ¥8,000 を未払い計上する。
3．借入金 ¥300,000 の利率は年2％であり、半年ごと（6月末と12月末）に支払うことになっているが、利息のうち1月から3月までの期間が未払いとなっている。なお、利息の計算は月割りによる。
4．決算日までの家賃 ¥96,000 が未払いとなっている。

	借方科目	金額	貸方科目	金額
1				
2				
3				
4				

37 問題 52　収益の未収

解答…P 180

次の資料にもとづいて、決算整理仕訳をしなさい。なお、当社の会計期間は×7年4月1日から×8年3月31日までの1年である。ただし、勘定科目は、次の中から最も適当と思われるものを選び、正確に記入すること。

未 収 利 息　未 収 家 賃　未収受取手数料　受 取 手 数 料
受 取 家 賃　受 取 利 息

1．受取家賃の未収分が ¥35,000 ある。
2．販売活動についての受取手数料 ¥5,800 が決算日現在で未収となっている。
3．定期預金 ¥912,500 は、×8年2月1日に1年満期（年利率2％）で預け入れたものである。すでに経過した59日分の利息について適切な処理を行う。なお、利息は1年を365日とする日割計算による。
4．貸付金 ¥160,000 は×7年9月1日に貸付期間1年、年利率3％で貸し付けたもので、利息は元金とともに返済時に受け取ることになっている。なお、利息の計算は月割による。

	借 方 科 目	金　額	貸 方 科 目	金　額
1				
2				
3				
4				

㊳ 問題 53　再振替仕訳

解答…P 181

下記に示した前期（×７年４月１日〜×８年３月31日）の決算整理事項にもとづいて、当期首×８年４月１日の再振替仕訳を行いなさい。ただし、勘定科目は、次の中から最も適当と思われるものを選び、正確に記入すること。

前払保険料	未収利息	前受家賃	未払利息
受取家賃	受取利息	保険料	支払利息

[前期の決算整理事項]

1．保険料 ¥108,000は、当期の10月１日に向こう１年分を小切手を振り出して支払ったものである。
2．受取家賃 ¥16,200は、当期の11月１日に向こう１年分を現金で受け取ったものである。
3．借入金 ¥300,000の利率は年２％であり、半年ごと（６月末と12月末）に支払うことになっているが、利息のうち１月から３月までの期間が未払いとなっている。なお、利息の計算は月割りによる。
4．定期預金 ¥912,500は、×８年２月１日に１年満期（年利率２％）で預け入れたものである。すでに経過した59日分の利息について適切な処理を行う。なお、利息は１年を365日とする日割計算による。

	借方科目	金額	貸方科目	金額
1				
2				
3				
4				

㊴ 問題 54　精算表の作成①

解答…P 182

答案用紙の精算表を完成しなさい。

精　　算　　表

勘定科目	試算表		修正記入		損益計算書		貸借対照表	
	借方	貸方	借方	貸方	借方	貸方	借方	貸方
現金	41,800							
当座預金	102,300							
売掛金	88,000							
繰越商品	27,500		33,000	27,500				
建物	220,000							
貸付金	165,000							
買掛金		25,300						
貸倒引当金		1,100		1,540				
建物減価償却累計額		29,700		9,900				
資本金		500,000						
繰越利益剰余金		50,000						
売上		352,000						
受取利息		9,900		3,300				
仕入	264,000		27,500	33,000				
給料	39,600							
支払家賃	19,800		6,600					
	968,000	968,000						
貸倒引当金繰入			1,540					
減価償却費			9,900					
未収利息			3,300					
未払家賃				6,600				
当期純利益								
			81,840	81,840				

問題 55　精算表の作成②

解答…P 183

次の決算整理仕訳にもとづいて、答案用紙に示された精算表を完成しなさい。

[決算整理仕訳]

1．売上原価の算定

商品の期末有高は ¥6,600 であった。

(借)	仕入	5,500	(貸)	繰越商品	5,500
(借)	繰越商品	6,600	(貸)	仕入	6,600

2．減価償却費の計上

建物について、¥3,300 の減価償却費を計上する。

(借)	減価償却費	3,300	(貸)	建物減価償却累計額	3,300

3．費用の前払い

保険料のうち ¥2,200 は未経過分であった。

(借)	前払保険料	2,200	(貸)	保険料	2,200

精　算　表

勘定科目	試算表		修正記入		損益計算書		貸借対照表	
	借方	貸方	借方	貸方	借方	貸方	借方	貸方
繰越商品	5,500							
建物減価償却累計額		7,700						
仕入	132,000							
保険料	13,200							
	××	××						
(　　)								
(　　)								

問題 56　精算表の作成③

解答…P 185

次の［**決算整理事項**］にもとづいて、答案用紙に示された精算表を完成しなさい。会計期間は、×５年４月１日から×６年３月 31 日までの１年間である。

［決算整理事項］

1．売掛金の期末残高に対して、差額補充法により２％の貸倒れを見積もる。
2．期末商品棚卸高は ¥35,200 であった。売上原価は「仕入」の行で計算する。
3．建物について耐用年数 30 年、残存価額は取得原価の 10％として、定額法により減価償却を行う。
4．保険料は、当期の 10 月１日に向こう１年分をまとめて支払ったものである。

精　　算　　表

勘定科目	試算表		修正記入		損益計算書		貸借対照表	
	借方	貸方	借方	貸方	借方	貸方	借方	貸方
現金	33,000							
当座預金	129,800							
売掛金	220,000							
繰越商品	27,500							
建物	495,000							
買掛金		51,150						
貸倒引当金		1,650						
建物減価償却累計額		29,700						
借入金		110,000						
資本金		500,000						
繰越利益剰余金		50,000						
売上		352,000						
仕入	154,000							
支払利息	2,200							
保険料	33,000							
	1,094,500	1,094,500						
貸倒引当金繰入								
減価償却費								
前払保険料								
当期純利益								

㊵ 問題 57　損益計算書と貸借対照表の作成①　解答…P 186

次の決算整理後の残高試算表にもとづいて、答案用紙の損益計算書と貸借対照表を完成しなさい。

決算整理後残高試算表

×8年3月31日

借　方	勘定科目	貸　方
45,650	現　金	
72,100	当座預金	
165,000	売掛金	
145,260	繰越商品	
198,000	建　物	
	支払手形	49,720
	買掛金	50,600
	借入金	88,000
	貸倒引当金	8,250
	建物減価償却累計額	34,100
	資本金	200,000
	繰越利益剰余金	75,000
	売　上	1,034,000
687,500	仕　入	
147,400	給　料	
45,500	広告宣伝費	
9,460	保険料	
4,660	貸倒引当金繰入	
16,060	減価償却費	
2,310	支払利息	
1,100	前払保険料	
	未払利息	330
1,540,000		1,540,000

損益計算書

×7年4月1日から×8年3月31日まで

費用	金額	収益	金額
(　　)	(　　)	(　　)	(　　)
給料	(　　)		
広告宣伝費	(　　)		
保険料	(　　)		
貸倒引当金繰入	(　　)		
減価償却費	(　　)		
支払利息	(　　)		
(　　)	(　　)		
	(　　)		(　　)

貸借対照表

×8年3月31日

資産	金額		負債及び純資産	金額
現金		(　　)	支払手形	(　　)
当座預金		(　　)	買掛金	(　　)
売掛金	(　　)		未払費用	(　　)
(　　)	(　　)	(　　)	借入金	(　　)
(　　)		(　　)	資本金	(　　)
(　　)		(　　)	繰越利益剰余金	(　　)
建物	(　　)			
(　　)	(　　)	(　　)		
		(　　)		(　　)

問題 58　損益計算書と貸借対照表の作成②　解答…P 188

次の決算整理前残高試算表と［**決算整理事項**］にもとづいて、答案用紙の損益計算書と貸借対照表を作成しなさい。会計期間は、×7年4月1日から×8年3月31日までの1年間である。

決算整理前残高試算表
×8年3月31日

借　方	勘定科目	貸　方
29,040	現　　　金	
79,840	当 座 預 金	
158,000	売　掛　金	
22,000	繰 越 商 品	
396,000	建　　　物	
	買　掛　金	40,920
	貸倒引当金	1,320
	建物減価償却累計額	39,600
	借　入　金	88,000
	資　本　金	400,000
	繰越利益剰余金	40,000
	売　　　上	294,400
123,200	仕　　　入	
38,000	給　　　料	
18,000	広告宣伝費	
12,000	租 税 公 課	
1,760	支 払 利 息	
26,400	保　険　料	
904,240		904,240

［**決算整理事項**］

1．期末の現金実際有高は￥28,680である。なお、現金残高との差額の原因は不明である。
2．得意先大越商店に対する前期の売掛金￥2,000が貸倒れとなったが未処理である。
3．売掛金の期末残高に対して、差額補充法により2％の貸倒れを見積もる。

4．期末商品棚卸高は ￥28,000 であった。

5．建物について耐用年数 30 年、残存価額はゼロとして、定額法により減価償却を行う。

6．購入時に費用処理した収入印紙の未使用分が￥3,900 ある。

7．保険料は、当期の 10 月 1 日に向こう 1 年分をまとめて支払ったものである。

損益計算書

×7年4月1日から×8年3月31日まで

費用	金額	収益	金額
(　　)	(　　)	(　　)	(　　)
給料	(　　)		
広告宣伝費	(　　)		
保険料	(　　)		
貸倒引当金 (　　)	(　　)		
(　　)	(　　)		
(　　)	(　　)		
(　　)	(　　)		
支払利息	(　　)		
雑 (　　)	(　　)		
(　　)	(　　)		
	(　　)		(　　)

貸借対照表

×8年3月31日

資産	金額		負債及び純資産	金額
現金		(　　)	買掛金	(　　)
当座預金		(　　)	借入金	(　　)
売掛金	(　　)		資本金	(　　)
(　　)	(　　)	(　　)	繰越利益剰余金	(　　)
(　　)		(　　)		
(　　)		(　　)		
(　　)費用		(　　)		
建物	(　　)			
(　　)	(　　)	(　　)		
		(　　)		(　　)

問題 59　損益計算書と貸借対照表の作成③ 解答…P 190

次の決算整理前残高試算表と［**決算整理事項等**］にもとづいて、答案用紙の損益計算書と貸借対照表を作成しなさい。会計期間は、×２年４月１日から×３年３月 31 日までの１年間である。

決算整理前残高試算表
×３年３月 31 日

借　方	勘定科目	貸　方
109,710	現金	
61,000	普通預金	
48,000	売掛金	
16,800	仮払消費税	
25,000	繰越商品	
200,000	建物	
	買掛金	28,200
	仮受消費税	39,300
	借入金	60,000
	貸倒引当金	460
	建物減価償却累計額	36,000
	資本金	90,000
	繰越利益剰余金	45,850
	売上	393,000
168,000	仕入	
60,000	給料	
4,300	通信費	
692,810		692,810

［**決算整理事項等**］

1．現金￥13,000 を普通預金口座に預け入れたが、この取引が未処理である。

2．期末商品棚卸高は￥31,500 であった。

3．売掛金の期末残高に対し、２％の貸倒引当金を差額補充法によって計上する。

4．建物について、残存価額を取得原価の 10％、耐用年数を 25 年とする定額法により減価償却を行う。

5．借入金は×２年 12 月１日に借入期間１年、年利率５％で借り入れたもので、利息は元金とともに返済時に支払うことになっている。利息の計算は月割による。

6．消費税（税抜方式）の処理を行う。

7．法人税等が￥47,550 と計算されたので、未払法人税等として計上する。

損　益　計　算　書

×２年４月１日から×３年３月31日まで

費　　用	金　　額	収　　益	金　　額
(　　　)	(　　　)	(　　　)	(　　　)
給　　料	(　　　)		
通　信　費	(　　　)		
貸倒引当金(　　　)	(　　　)		
(　　　)	(　　　)		
支　払　利　息	(　　　)		
法　人　税　等	(　　　)		
(　　　)	(　　　)		
	(　　　)		(　　　)

貸　借　対　照　表

×３年３月31日

資　　産	金　　額		負債及び純資産	金　　額
現　　金		(　　　)	買　掛　金	(　　　)
普通預金		(　　　)	(　　　)消費税	(　　　)
売　掛　金	(　　　)		(　　　)	(　　　)
(　　　)	(　　　)	(　　　)	(　　　)費　用	(　　　)
(　　　)		(　　　)	借　入　金	(　　　)
建　　物	(　　　)		資　本　金	(　　　)
(　　　)	(　　　)	(　　　)	繰越利益剰余金	(　　　)
		(　　　)		(　　　)

問題 60　損益計算書と貸借対照表の作成④ 解答…P 192

次の決算整理前残高試算表と［**決算整理事項等**］にもとづいて、答案用紙の損益計算書と貸借対照表を作成しなさい。会計期間は、×5年4月1日から×6年3月31日までの1年間である。

決算整理前残高試算表
×6年3月31日

借　方	勘定科目	貸　方
73,750	現金	
86,300	当座預金	
55,650	売掛金	
32,000	クレジット売掛金	
29,200	繰越商品	
45,000	備品	
30,000	土地	
	買掛金	91,400
	仮受金	7,200
	貸倒引当金	1,200
	備品減価償却累計額	18,000
	資本金	150,000
	繰越利益剰余金	32,000
	売上	596,000
	受取手数料	7,550
360,000	仕入	
126,200	給料	
63,000	支払家賃	
2,250	支払手数料	
903,350		903,350

［**決算整理事項等**］

1．仮受金は、その全額が売掛金の回収であることが判明した。

2．３月末に商品￥15,000をクレジット払いの条件で販売したが、未処理となっている。なお、信販会社へのクレジット手数料（販売代金の３％）は販売時に計上する。

3．×6年3月1日に土地¥30,000を購入し、代金は2か月後に支払うこととしたが、購入時に以下の仕訳をしていたので、適正に修正する。

（借方）土　地　30,000（貸方）買掛金　30,000

4．売掛金およびクレジット売掛金の期末残高に対して2％の貸倒引当金を差額補充法により設定する。

5．期末商品棚卸高は¥28,350である。

6．備品について、残存価額ゼロ、耐用年数5年として定額法で減価償却を行う。

7．支払家賃のうち¥27,000は当期の12月1日に向こう6か月分を支払ったものである。そこで、未経過分を月割で前払計上する。

8．未払法人税等¥19,530を計上する。

損　益　計　算　書

×5年4月1日から×6年3月31日まで

費　用	金　額	収　益	金　額
(　　)	(　　)	(　　)	(　　)
給　料	(　　)	受取手数料	(　　)
支払家賃	(　　)		
貸倒引当金 (　　)	(　　)		
(　　)	(　　)		
支払手数料	(　　)		
法人税、住民税及び事業税	(　　)		
(　　)	(　　)		
	(　　)		(　　)

貸　借　対　照　表

×6年3月31日

資　産	金　額		負債及び純資産	金　額
現　金		(　　)	買掛金	(　　)
当座預金		(　　)	(　　)	(　　)
売掛金	(　　)		(　　)	(　　)
(　　)	(　　)	(　　)	資本金	(　　)
商　品		(　　)	繰越利益剰余金	(　　)
(　　)		(　　)		
備　品	(　　)			
(　　)	(　　)	(　　)		
土　地		(　　)		
		(　　)		(　　)

㊶ 問題 61　月次決算の処理

解答…P 194

次の資料にもとづいて、固定資産（備品）に関する仕訳を示しなさい。ただし、勘定科目は、次の中から最も適当と思われるものを選ぶこと。なお、当社では月次決算を行っており、会計期間は×２年３月31日を決算日とする１年である。

減 価 償 却 費　　備品減価償却累計額

1．期首において、当期の減価償却費は￥24,000と見積もっている。月次決算にあたり、当月分の減価償却費を計上した。
2．年次決算にあたり、当期の実際の減価償却費を計算したところ、￥24,800であることが判明した。差額を決算整理で処理する。なお、３月分の減価償却はすでに行っている。

	借 方 科 目	金　額	貸 方 科 目	金　額
1				
2				

コラム　空手と簿記

３人の息子に、共通して学ばせていること。
それが空手と簿記。

バックパッカーとしてアジアを漂流していた若かりし頃、私が日本人だと知ると、よく『空手できるのか？』と聞かれたものでした。「日本人＝空手ができる」というイメージは相当強いようでした。

また、現地の人たちから嫌われている人がいました。
その人は『お金に汚い』と言われていました。

私は、息子との年齢差が 50 近くあります。
今から 50 年先、この子たちはこの国で生きていけるのだろうか？と疑問になります。
この子たちには、「海外で、ひとりで生きていけるだけの力をつけさせないといけない」と思っています。

その力が空手と簿記です。
この国を出て、海外で暮らすとき、まず必要なのは経済観念。
現地で嫌われている人たちは、ある意味『経済観念が優れているから』だと思うのです。それを身につけるには、まず簿記。これなしには難しい。

そして空手。
海外でひとり、ビジネスをするとき、現地の人たちの協力がいる。
空手教室を開けばいい。
空手の先生がやっているビジネスなら、支援されることはあっても排除されることはないだろう。

そんな思いで、息子たちには空手と簿記を学ばせています。

42 問題 62　仕訳帳・総勘定元帳　解答…P 195

下記の仕訳帳の記入にもとづいて、各勘定口座へ転記しなさい。

仕　訳　帳　　1

×6年		摘　要	元丁	借　方	貸　方
4	1	(現　金)	1	100,000	
		(資　本　金)	25		100,000
		株式の払込みを受け開業			
	10	(仕　入)	15	50,000	
		(買　掛　金)	20		50,000
		仙台商店から仕入れ			
	20	諸　口　(売　上)	16		80,000
		(現　金)	1	50,000	
		(売　掛　金)	4	30,000	
		福島商店へ売り上げ			

総勘定元帳

現　金　　1

×6年		摘要	仕丁	借方	×6年		摘要	仕丁	貸方

売　掛　金　　4

×6年		摘要	仕丁	借方	×6年		摘要	仕丁	貸方

仕　入　　15

×6年		摘要	仕丁	借方	×6年		摘要	仕丁	貸方

売　上　16

×6年		摘要	仕丁	借方	×6年		摘要	仕丁	貸方

買　掛　金　20

×6年		摘要	仕丁	借方	×6年		摘要	仕丁	貸方

資　本　金　25

×6年		摘要	仕丁	借方	×6年		摘要	仕丁	貸方

43 問題 63　当座預金出納帳

解答…P 196

次に示す帳簿に記入された取引を推定し、仕訳の形で示しなさい。ただし、勘定科目は、次の中から最も適当と思われるものを選ぶこと。なお、当社は、借越限度額￥150,000 の当座借越契約を結んでいる。

当座預金　売掛金　仕　入

当座預金出納帳　1

×1年		摘　要	預　入	引　出	借/貸	残　高
6	1	前月繰越	30,000		借	30,000
	15	東京商店より仕入れ		40,000	貸	10,000
	20	大阪商店から売掛金の回収	70,000		借	60,000

	借方科目	金　額	貸方科目	金　額
6/15				
6/20				

問題64　小口現金出納帳

解答…P 196

問1

次の小口現金出納帳の記入（1週間ごとに締切り）にもとづいて、12月1日、5日、8日に行われる仕訳を示しなさい。

小口現金出納帳

受入	×3年		摘要	支払	内訳			
					旅費交通費	通信費	消耗品費	雑費
60,000	12	1	小切手					
		2	切手代	20,000		20,000		
		3	文房具代	15,000			15,000	
		4	茶菓代	10,000				10,000
		5	電車代	5,000	5,000			
			合計	50,000	5,000	20,000	15,000	10,000
		5	次週繰越	10,000				
60,000				60,000				
10,000	12	8	前週繰越					
50,000		〃	小切手					

問2

問1の小口現金出納帳の合計以降の記入が、下記のとおりであった場合、12月1日、5日、8日に行われる仕訳を示しなさい。なお、仕訳不要の場合には、借方科目欄に「仕訳なし」と記入すること。

小口現金出納帳

受入	×3年		摘要	支払	内訳			
					旅費交通費	通信費	消耗品費	雑費
60,000	12	1	小切手					
•			•	•	•	•	•	•
•			•	•	•	•	•	•
•			合計	50,000	5,000	20,000	15,000	10,000
50,000		5	小切手					
		〃	次週繰越	60,000				
110,000				110,000				
60,000	12	8	前週繰越					

問1

	借方科目	金額	貸方科目	金額
12/ 1				
12/ 5				
12/ 8				

問2

	借方科目	金額	貸方科目	金額
12/ 1				
12/ 5				
12/ 8				

44 問題65 商品有高帳

解答…P 198

次の5月における商品に関する資料にもとづいて、下記の問いに答えなさい。

〔商品に関する資料〕

5月5日	仕　入	メモリーカード8GB	40個	@¥455
		メモリーカード4GB	20個	@¥300
15日	売　上	メモリーカード8GB	40個	@¥600
		メモリーカード4GB	20個	@¥400
20日	仕　入	メモリーカード8GB	30個	@¥520
30日	売　上	メモリーカード8GB	20個	@¥600

問1

⑴ 商品有高帳（メモリーカード8GB）に記入しなさい。なお、商品の払出単価の決定方法として移動平均法を用いること。

⑵ 当月売上総利益（商品有高帳に記載した商品だけでよい）を求めなさい。

問2

⑴ 商品有高帳（メモリーカード8GB）に記入しなさい。なお、商品の払出単価の決定方法として先入先出法を用いること。

⑵ 当月売上総利益（商品有高帳に記載した商品だけでよい）を求めなさい。

問1 移動平均法

⑴

商品有高帳

メモリーカード8GB

×1年		摘要	受入			払出			残高		
			数量	単価	金額	数量	単価	金額	数量	単価	金額
5	1	前月繰越	30	420	12,600				30	420	12,600
	5	仕入									
	15	売上									
	20	仕入									
	30	売上									
	31	**次月繰越**									
6	1	前月繰越									

(2)

当月売上高 ¥

当月売上原価 ¥

当月売上総利益 ¥

問2 先入先出法

(1)

商品有高帳

メモリーカード8GB

×1年		摘要	受入			払出			残高		
			数量	単価	金額	数量	単価	金額	数量	単価	金額
5	1	前月繰越	30	420	12,600				30	420	12,600
	5	仕入									
	15	売上									
	20	仕入									
	30	売上									
	31	**次月繰越**									
6	1	前月繰越									

(2)

当月売上高 ¥

当月売上原価 ¥

当月売上総利益 ¥

㊺ 問題66　買掛金元帳

解答…P 201

次の買掛金元帳における取引の仕訳を示しなさい。なお、4月25日の取引では約束手形を振り出して買掛金の決済を行ったものとする。

買掛金元帳

清水商店

×1年		摘　　要	借　方	貸　方	借/貸	残　高
4	1	前月繰越		100,000	貸	100,000
	11	仕　　入		180,000	〃	280,000
	18	返　　品	50,000		〃	230,000
	25	支　払　い	200,000		〃	30,000
	30	**次月繰越**	**30,000**		〃	
			280,000	280,000		
5	1	前月繰越		30,000	貸	30,000

	借方科目	金　額	貸方科目	金　額
4/11				
4/18				
4/25				

46 問題 67　固定資産台帳　解答…P 202

次の［資料］にもとづいて、備品勘定と備品減価償却累計額勘定を完成させなさい。定額法にもとづき減価償却が行われており、減価償却費は月割計算によって計上する。なお、当社の決算日は毎年３月31日である。

［資料］

固 定 資 産 台 帳

×４年３月31日現在

取得年月日	用途	期末数量	耐用年数	期首（期中取得）取得原価	期首減価償却累計額	差引期首（期中取得）帳簿価額	当期減価償却費
備品							
×１年４月１日	備品①	1	6年	1,200,000	400,000	800,000	200,000
×３年10月１日	備品②	1	3年	420,000	0	420,000	70,000

備　　　　品

日	付		摘要	借方	日	付		摘要	貸方
×3	4	1	（　　）	（　　）	×4	3	31	（　　）	（　　）
×3	10	1	当座預金	（　　）					
				（　　）					（　　）

備品減価償却累計額

日	付		摘要	借方	日	付		摘要	貸方
×4	3	31	（　　）	（　　）	×3	4	1	（　　）	（　　）
					×4	3	31	（　　）	（　　）
				（　　）					（　　）

問題 68　帳簿のまとめ

解答…P 203

次の資料にもとづき、答案用紙の総勘定元帳の期末残高と、得意先元帳の期末残高を答えなさい。

〔資料〕

1　当社は、取引を帳簿に記入するにあたり、仕訳帳、総勘定元帳の他に、補助元帳として売掛金元帳を設けている。商品の記帳方法は、三分法による。

2　期首の残高 (一部) は、次のとおりである。

現　　金　¥70,000　　当座預金　¥200,000　　繰越商品　¥12,000

売 掛 金　¥50,000 (横浜商店　¥20,000　　静岡商店　¥30,000)

3　当期中に以下の取引を行った。

(1)　仕入先千葉商店から、商品を¥11,000 仕入れ、代金は小切手を振り出して支払った。

(2)　仕入先銚子商店から、商品を¥21,000 仕入れ、代金は現金で支払った。

(3)　得意先横浜商店に、商品を¥16,200 で売上げ、代金は掛けとした。

(4)　得意先静岡商店に、商品を¥9,000 で売上げ、代金は掛けとした。

(5)　得意先横浜商店から、売掛金のうち¥28,100 を横浜商店振り出しの小切手で回収した。

(6)　得意先静岡商店から、売掛金のうち¥30,000 が当社の当座預金口座に振り込まれた。

(7)　期末に、仕入勘定で売上原価の算定を行う。期末商品棚卸高は¥28,300 である。

総勘定元帳の期末残高

現　　　金 (　　　　　)　　売　　　上 (　　　　　)

当 座 預 金 (　　　　　)

売　掛　金 (　　　　　)

繰 越 商 品 (　　　　　)

仕　　　入 (　　　　　)

得意先元帳の期末残高

横 浜 商 店 (　　　　　)

静 岡 商 店 (　　　　　)

問題 69　補助簿の選択

解答…P 205

次の各取引が、答案用紙に示したどの補助簿に記入されるかを答えなさい。解答にあたっては、該当するすべての補助簿の欄に○印を付し、該当する補助簿が1つもない取引は「該当なし」の欄に○印を付すこと。

1．得意先に販売した商品のうち 30 個（@ ¥ 5,400）が品違いのため返品され、掛け代金から差し引くこととした。
2．商品 ¥ 110,000 を掛けで仕入れた。
3．不用になった車両（取得原価 ¥ 96,000、減価償却累計額 ¥ 84,000、間接法で記帳）を期首に ¥ 13,500 で売却し、代金は小切手で受け取り、ただちに当座預金口座へ預け入れた。
4．決算日において、過日借方に計上していた現金過不足 ¥ 9,000 の原因を改めて調査した結果、旅費交通費 ¥ 8,400 の記入漏れが判明した。残額は原因が不明であったので、雑益または雑損として処理する。

補助簿 / 取引	現金出納帳	当座預金出納帳	商品有高帳	売掛金元帳（得意先元帳）	買掛金元帳（仕入先元帳）	仕入帳	売上帳	固定資産台帳	該当なし
1									
2									
3									
4									

㊼ 問題 70　3伝票制

解答…P 206

問 1　次の取引について、以下のように振替伝票を作成した。この場合の入金伝票はどのように記入するのか、示しなさい。

〔取　引〕

商品￥10,000を販売し、代金のうち￥2,000は現金で受け取り、残額は掛けとした。一部現金取引について、取引を擬制する方法で起票している。

振替伝票
×8年4月15日

借方科目	金額	貸方科目	金額
売掛金	10,000	売上	10,000

入金伝票
×8年4月15日

科目	金額

問2 次の取引について、以下のように出金伝票を作成した。この場合の振替伝票はどのように記入するのか、示しなさい。

〔取　引〕

備品￥10,000を購入し、代金のうち￥2,000は現金で支払い、残額は小切手を振り出して支払った。一部現金取引について、取引を分割する方法で起票している。

出金伝票 ×7年9月20日	
科目	金額
備品	2,000

振替伝票 ×7年9月20日			
借方科目	金額	貸方科目	金額

第13章

問題 71　仕訳日計表

解答…P 208

次の×８年７月１日の取引に関して作成された次の各伝票(略式)にもとづいて、仕訳日計表を作成しなさい。元丁欄の記入は不要である。

入　金　伝　票	
科　目	金　額
売　上	5,600

出　金　伝　票	
科　目	金　額
仕　入	2,800

入　金　伝　票	
科　目	金　額
売 掛 金	2,100

出　金　伝　票	
科　目	金　額
買 掛 金	1,400

振　替　伝　票			
借方科目	金　額	貸方科目	金　額
売 掛 金	11,200	売　上	11,200

振　替　伝　票			
借方科目	金　額	貸方科目	金　額
仕　入	7,700	買 掛 金	7,700

振　替　伝　票			
借方科目	金　額	貸方科目	金　額
備　品	20,000	未 払 金	20,000

振　替　伝　票			
借方科目	金　額	貸方科目	金　額
当座預金	5,000	未収入金	5,000

仕訳日計表

×8年7月1日

借　　方	元丁	勘定科目	元丁	貸　　方
		現　　　　　金		
		当　座　預　金		
		売　　掛　　金		
		(　　　　　　　)		
		備　　　　　品		
		買　　掛　　金		
		未　　払　　金		
		売　　　　　上		
		仕　　　　　入		

問題 72　仕訳日計表から総勘定元帳への転記　解答…P 210

東京商事株式会社は、日々の取引を入金伝票、出金伝票および振替伝票の３種類の伝票に記入し、これを１日分ずつ集計して仕訳日計表を作成し、この仕訳日計表から総勘定元帳に転記している。

同社の×１年６月１日の取引について作成された次の各伝票（略式）にもとづいて、(1) 答案用紙の仕訳日計表を作成し、総勘定元帳の現金勘定へ転記しなさい。

また、(2) ６月１日現在の横浜商店に対する売掛金残高を求めなさい。なお、５月 31 日現在の同店に対する売掛金残高は￥4,900 であった。

入金伝票 No.101
売掛金（横浜商店）　3,000

入金伝票 No.102
売　　上　4,000

出金伝票 No.201
買掛金（埼玉商店）　2,300

出金伝票 No.202
買掛金（山梨商店）　1,600

出金伝票 No.203
水道光熱費　900

振替伝票 No.301
売掛金（横浜商店）8,000
売　　上　8,000

振替伝票 No.302
受取手形　2,400
売掛金(静岡商店) 2,400

振替伝票 No.303
仕入　5,300
買掛金(埼玉商店) 5,300

(1)

仕 訳 日 計 表

×1年6月1日

借　　方	勘 定 科 目	貸　　方
	現　　　　金	
	受 取 手 形	
	売　掛　金	
	買　掛　金	
	売　　　　上	
	仕　　　　入	
	水道光熱費	

現　金　（単位：円）

6/1	前月繰越	7,800	6/1	仕訳日計表	（　　　）
〃	仕訳日計表	（　　　）			

※元丁欄と仕丁欄は省略している。

(2)　6月1日現在の横浜商店に対する売掛金残高

¥（　　　　　　）

コラム　周りに感謝の言葉を

みなさんに、とても重要なことをお話しします。

みなさんが日商簿記３級の学習で頑張っている今、周りの人たちをよく見てみましょう。

コーヒーの一杯を入れてくれたり、「調子はどう？」と声をかけてくれたり、「プレッシャーをかけないように」と、言葉にはしなくても気にかけてくれている、そういう人たちはいませんか？

この試験が終わったらすぐに「結果はまだわかりませんが、おかげ様で自分なりに精一杯やってこれました」と、その人たちに感謝の気持ちを、ちゃんと言葉にして伝えてください。

みなさんの挑戦が、今回の日商簿記３級ですべておしまい、というのなら、気にすることはないかも知れません。

しかし、みなさんは、この後もいろんなことに挑戦していかれる方でしょう。

そういう方だからこそ、今回、日商簿記３級の試験に挑んだのだと思っています。

そんなみなさんが、新たな目標に挑むとき、また、周りの人たちの力が必要になります。試験のレベルが上がれば上がるほど、より必要になります。

試験後のお礼の言葉が、周りの「また支えてやろう」に繋がり、次のあなたの挑戦の力になってくれます。

約束してください。試験後、必ず周りに感謝の気持ちを伝える。そのことを。

本試験レベルにチャレンジ

応用編では、本試験レベルにチャレンジしていきます。第1問から第3問まで、問別に本試験形式の問題を解いて、応用力を身に付けましょう。

第１問対策

1 仕訳問題

時間 10分

解答…P 214

下記の各取引について仕訳しなさい。ただし、勘定科目は各取引の下の勘定科目から最も適当と思われるものを選び、記号で解答すること。

1．N銀行とS信用金庫で当座預金口座を開設し、それぞれの当座預金口座に現金¥400,000を預け入れた。ただし、管理のために口座ごとに勘定を設定することとした。

ア．現　　　金　イ．普通預金　ウ．当座預金N銀行
エ．当座預金S信用金庫　オ．貸　付　金　カ．借　入　金

2．決算日に仕入勘定の借方残高¥270,000を損益勘定に振り替えた。

ア．資　本　金　イ．利益準備金　ウ．繰越利益剰余金
エ．仕　　　入　オ．売　　　上　カ．損　　　益

3．今月分の従業員に対する給料¥2,500,000を、所得税の源泉徴収分¥185,000および健康保険・厚生年金の保険料合計¥232,500を控除し、各従業員の指定する銀行口座へ普通預金から振り込んで支給した。

ア．当座預金　イ．普通預金　ウ．所得税預り金
エ．社会保険料預り金　オ．給　　　料　カ．法定福利費

4．新規出店のために、ビルの３階部分を１か月あたり¥250,000で賃借する契約を結んだ。契約にあたり、敷金（家賃の２か月分）および不動産業者に対する仲介手数料（家賃の１か月分）を、普通預金口座から支払った。

ア．普通預金　イ．差入保証金　ウ．受取手数料
エ．受取家賃　オ．支払手数料　カ．支払家賃

5．売上集計表（１日分）の集計結果は次のとおりであった。また、合計額のうち¥209,000はクレジットカード、残りは現金による決済であった。なお、当社は消費税について税抜方式で処理している。

ア．現　　　金　イ．電子記録債権　ウ．仮払消費税
エ．クレジット売掛金　オ．仮受消費税　カ．売　　　上

売上集計表

X8 年 9 月 5 日

品物	数量	単価	金額
部品A	400	250	¥100,000
部品B	50	1,000	¥ 50,000
部品C	10	9,000	¥ 90,000
	消費税		¥ 24,000
	合計		¥264,000

	借方科目	金額	貸方科目	金額
1				
2				
3				
4				
5				

第1問

第1問対策

2 仕訳問題

時間 10分

解答…P 215

下記の各取引について仕訳しなさい。ただし、勘定科目は各取引の下の勘定科目から最も適当と思われるものを選び、記号で解答すること。

1．決算にあたり、D銀行の当座預金口座が当座借越￥58,000の状態となっているので適切な勘定に振り替える。

ア．現　　金　イ．当座預金　ウ．普通預金
エ．貸 付 金　オ．当座借越　カ．未 払 金

2．商品￥250,000を販売し、代金のうち￥50,000は信販会社が発行している商品券で受け取り、残額は現金で受け取った。

ア．現　　金　イ．当座預金　ウ．売 掛 金
エ．受取商品券　オ．売　　上　カ．仕　　入

3．岐阜商事株式会社は、滋賀商事株式会社に対する買掛金￥220,000の支払いを電子債権記録機関で行うため、取引銀行を通して債務の発生記録を行った。

ア．当座預金　イ．電子記録債権　ウ．売 掛 金
エ．電子記録債務　オ．買 掛 金　カ．仕　　入

4．決算にあたり、商品以外の物品の現状を調査したところ、140円切手が50枚未使用であることが判明したため、適切な勘定へ振り替える。

ア．貯 蔵 品　イ．通 信 費　ウ．旅費交通費
エ．租税公課　オ．支払手数料　カ．雑　　損

5．事務作業に使用する物品を購入し、品物とともに次の請求書を受け取り、代金は後日支払うこととした。

ア．貯 蔵 品　イ．未収入金　ウ．備　　品
エ．未 払 金　オ．消耗品費　カ．通 信 費

請求書

青森商事株式会社　様

熊本商事株式会社

品物	数量	単価	金額
コピー用紙（300枚入）	10	500	￥　5,000
ノートパソコン	1	150,000	￥150,000
	合計		￥155,000

X8年10月31日までに合計額を下記口座へお振込み下さい。
ＮＳ銀行熊本支店　普通　1537984　クマモトシヨウジ（カ

	借方科目	金額	貸方科目	金額
1				
2				
3				
4				
5				

第１問対策

3 仕訳問題

時間 10分

解答…P 216

下記の各取引について仕訳しなさい。ただし、勘定科目は各取引の下の勘定科目から最も適当と思われるものを選び、記号で解答すること。

1．当社の取締役Ｎ氏に資金を貸し付ける目的で￥2,000,000の小切手を振り出した。なお、その貸付期間は、６か月、利率は年利４％で利息は元金とともに受け取る条件となっている。

ア．当座預金　イ．普通預金　ウ．役員貸付金
エ．借入金　オ．受取利息　カ．支払利息

2．商品￥600,000をクレジット払いの条件で販売するとともに、信販会社へのクレジット手数料（販売代金の３％）を計上した。

ア．クレジット売掛金　イ．買掛金　ウ．売上
エ．受取手数料　オ．仕入　カ．支払手数料

3．従業員にかかる雇用保険料￥54,000を普通預金口座から納付した。このうち従業員負担分￥18,000は、社会保険料預り金からの支出であり、残額は会社負担分である。

ア．当座預金　イ．普通預金　ウ．所得税預り金
エ．社会保険料預り金　オ．給料　カ．法定福利費

4．中間申告を行い、法人税￥840,000、事業税￥420,000および住民税￥240,000を現金で納付した。

ア．現金　イ．普通預金　ウ．仮払消費税
エ．仮払法人税等　オ．仮受消費税　カ．未払法人税等

5．出張旅費を立て替えて支払っていた従業員が出張から帰社し、次の領収書を提示したので、普通預金口座から従業員の指定する普通預金口座へ振り込んで精算した。

ア．当座預金　イ．普通預金　ウ．従業員立替金
エ．仮払金　オ．仮受金　カ．旅費交通費

No.1992
X0年8月26日

領　収　書

香川商店株式会社　様

¥　30,000

但し　旅客運賃として
上記金額を正に領収いたしました。

○○旅客鉄道株式会社（公印省略）
××駅発行　取扱者（捺印省略）

	借方科目	金額	貸方科目	金額
1				
2				
3				
4				
5				

第１問対策

4 仕訳問題

時間 10分

解答…P 217

下記の各取引について仕訳しなさい。ただし、勘定科目は各取引の下の勘定科目から最も適当と思われるものを選び、記号で解答すること。

1．出張中の従業員から、普通預金口座に￥108,000の入金があった。このうち、￥90,000は売掛金の回収額であることが判明したが、残額の内容は不明であった。

ア．当座預金　イ．普通預金　ウ．売掛金
エ．仮払金　オ．買掛金　カ．仮受金

2．販売目的の中古自動車を￥936,000で購入し、代金は後日支払うこととした。また、その引取運送費として￥7,800を現金で支払った。なお、当社は自動車販売業を営んでいる。

ア．現金　イ．車両運搬具　ウ．買掛金
エ．未払金　オ．売上　カ．仕入

3．定時株主総会を開催し、繰越利益剰余金￥3,000,000の処分を次のとおり決定した。

株主配当金：￥400,000
利益準備金の積立て：￥40,000

ア．現金　イ．普通預金　ウ．未払配当金
エ．資本金　オ．利益準備金　カ．繰越利益剰余金

4．前期に貸倒れとして処理していた得意先宮城商店に対する売掛金￥52,200のうち￥18,000が回収され、当座預金口座に振り込まれた。なお、貸倒引当金勘定には￥36,000の残高がある。

ア．当座預金　イ．普通預金　ウ．売掛金
エ．貸倒引当金　オ．償却債権取立益　カ．貸倒損失

5．事務作業に使用する物品をインターネット注文で購入し、品物とともに次の領収書を受け取った。なお、代金はすでに支払い済みであり、仮払金勘定で処理してある。

ア．現金　イ．備品　ウ．仮払金
エ．売上　オ．仕入　カ．支払手数料

領収書

徳島商事株式会社　様

山梨商事株式会社

品物	数量	単価	金額
デスクトップパソコン	20	330,000	¥6,600,000
セッティング作業	20	6,000	¥　120,000
	合計		¥6,720,000

上記の合計額を領収いたしました。

印　収入印紙 2,000円

	借方科目	金　額	貸方科目	金　額
1				
2				
3				
4				
5				

第１問対策

5 仕訳問題

時間 10分

解答…P 218

下記の各取引について仕訳しなさい。ただし、勘定科目は各取引の下の勘定科目から最も適当と思われるものを選び、記号で解答すること。

1．株式会社名古屋商事は増資を行うことになり、１株当たり￥60,000で株式を新たに150株発行し、出資者より当社の普通預金口座に払込金が振り込まれた。発行価額の全額を資本金とする。

ア．当座預金　イ．普通預金　ウ．定期預金
エ．資本金　オ．利益準備金　カ．繰越利益剰余金

2．現金の帳簿残高が実際有高より￥21,000少なかったので現金過不足として処理していたが、決算日において、受取手数料￥28,000と旅費交通費￥8,400の記入漏れが判明した。残額は原因が不明であったので、雑益または雑損として処理する。

ア．受取手数料　イ．雑益　ウ．支払手数料
エ．旅費交通費　オ．雑損　カ．現金過不足

3．得意先新潟商店から売掛金￥56,000を現金で回収し、ただちに普通預金口座へと預け入れたが、誤って売上に計上していたことが判明した。決算にあたりこれを訂正する。

ア．現金　イ．普通預金　ウ．売掛金
エ．買掛金　オ．売上　カ．仕入

4．千葉銀行から￥3,000,000を借り入れ、同額の約束手形を振り出し、利息￥60,000が差し引かれた残額が当座預金口座に振り込まれた。

ア．当座預金　イ．普通預金　ウ．支払手形
エ．手形借入金　オ．支払利息　カ．支払手数料

5．商品￥180,000を売り上げ、代金のうち￥60,000は現金で受け取り、残額は掛けとした。そこで、入金伝票を次のように作成したとき、振替伝票に記入される仕訳を示しなさい。なお、３伝票制を採用している。

ア．現金　イ．普通預金　ウ．売掛金
エ．買掛金　オ．売上　カ．仕入

入金伝票	
科　　目	金　　額
売 掛 金	60,000

	借方科目	金　額	貸方科目	金　額
1				
2				
3				
4				
5				

第１問対策

6 仕訳問題

時間 10分

解答…Ｐ219

下記の各取引について仕訳しなさい。ただし、勘定科目は各取引の下の勘定科目から最も適当と思われるものを選び、記号で解答すること。

1．損益勘定の記録によると、当期の収益総額は￥1,920,000で費用総額は￥2,400,000であった。この差額を繰越利益剰余金勘定へ振り替える。

ア．資本金　イ．利益準備金　ウ．繰越利益剰余金
エ．損益　オ．売上　カ．仕入

2．建物の改築と修繕を行い、代金￥5,200,000を普通預金口座から支払った。うち建物の資産価値を高める支出額は￥4,300,000であり、建物の現状を維持するための支出額は￥900,000である。

ア．当座預金　イ．普通預金　ウ．建物
エ．備品　オ．修繕費　カ．減価償却費

3．不用になった備品（取得原価￥850,000、減価償却累計額￥743,750、間接法で記帳）を期首に￥81,000で売却し、代金は月末に受け取ることとした。

ア．未収入金　イ．備品　ウ．未払金
エ．備品減価償却累計額　オ．固定資産売却益　カ．固定資産売却損

4．決算整理前残高試算表における仮受消費税は￥96,000、仮払消費税は￥62,400であった。決算にあたり、消費税の納付額を計算し、これを計上した。

ア．仮払消費税　イ．仮受消費税　ウ．未払消費税
エ．未払法人税等　オ．法人税等　カ．租税公課

5．商品￥75,000を仕入れ、代金のうち￥20,000は現金で支払い、残額は掛けとした。そこで、出金伝票を次のように作成したとき、振替伝票に記入される仕訳を示しなさい。なお、３伝票制を採用している。

ア．現金　イ．普通預金　ウ．売掛金
エ．買掛金　オ．売上　カ．仕入

出金伝票	
科　　目	金　　額
仕　　入	20,000

	借方科目	金　額	貸方科目	金　額
1				
2				
3				
4				
5				

第2問(1)対策

1 勘定記入

解答…P 222

下記の［資料］から、長野商事株式会社（決算年1回、3月31日）の損益勘定、資本金勘定、繰越利益剰余金勘定の（ア）から（オ）に当てはまる金額を記入しなさい。なお、当期はX1年4月1日からX2年3月31日までである。

［資料］

1．総売上高：¥7,650,000
2．純売上高：¥7,500,000
3．決算整理前仕入勘定残高：借方 ¥5,400,000
4．期首商品棚卸高：¥600,000
5．期末商品棚卸高：¥750,000
6．売上原価は仕入勘定で算定する。

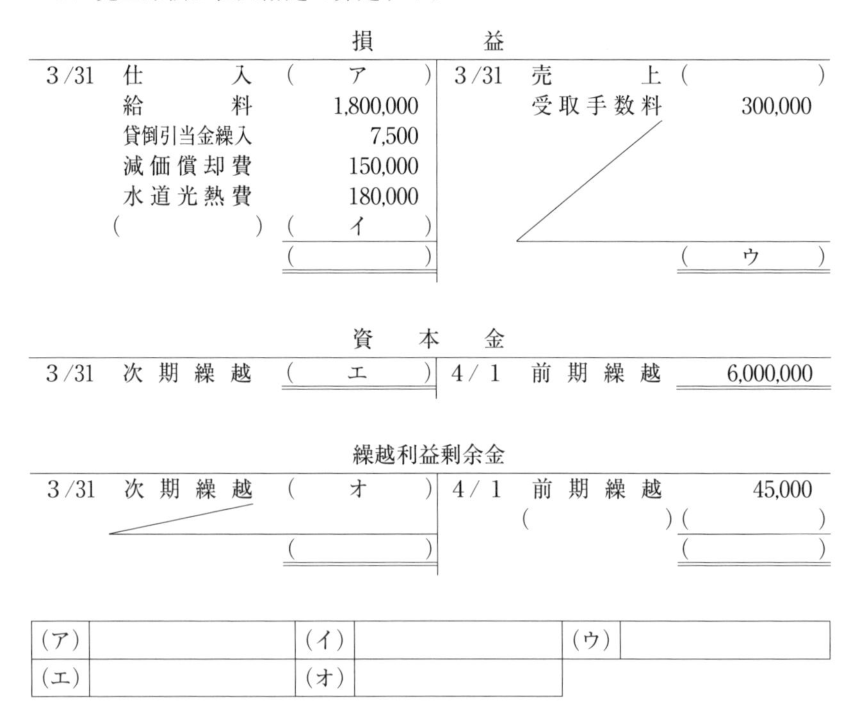

損　益

日付	摘要	金額	日付	摘要	金額
3/31	仕入	（ア）	3/31	売上	（　）
	給料	1,800,000		受取手数料	300,000
	貸倒引当金繰入	7,500			
	減価償却費	150,000			
	水道光熱費	180,000			
	（　）	（イ）			
		（　）			（ウ）

資　本　金

日付	摘要	金額	日付	摘要	金額
3/31	次期繰越	（エ）	4/1	前期繰越	6,000,000

繰越利益剰余金

日付	摘要	金額	日付	摘要	金額
3/31	次期繰越	（オ）	4/1	前期繰越	45,000
				（　）	（　）
		（　）			（　）

（ア）		（イ）		（ウ）	
（エ）		（オ）			

2 勘定記入

解答…P 223

取引銀行のインターネットバンキングサービスから当座勘定照合表（入出金明細）を参照したところ、次のとおりであった。下記に示した、当座預金勘定の空欄ア～オにあてはまる適切な語句または金額を答案用紙に記入しなさい。なお、京都商店および兵庫商店はそれぞれ当社の商品の取引先であり、商品売買取引はすべて掛けとしている。また、小切手（No.110）は11月19日以前に振り出したものである。

X9年11月30日

当座勘定照合表

大阪商事株式会社　様

ＮＳ銀行奈良支店

取引日	摘要	お支払金額	お預り金額	取引残高
11.20	融資ご返済	800,000		省略
11.20	融資お利息	5,000		
11.21	お振込　京都商店	150,000		
11.21	お振込手数料	400		
11.22	お振込　兵庫商店		300,000	
11.25	小切手引落（No.110）	300,000		
11.25	手形引落（No.551）	30,000		

当　座　預　金

11/1	前 月 繰 越	2,236,800	11/9	備　　品	160,000
11/22	（　ア　）	（　　）	11/20	（　　）	（　イ　）
			（　）	（　ウ　）	（　　）
			（　）	（　　）	（　エ　）
			30	（　オ　）	（　　）
		（　　）			（　　）

（ア）		（イ）		（ウ）	
（エ）		（オ）			

第2問(1)対策

3 

固定資産台帳

解答…P 224

次の［資料］にもとづいて、（ア）から（エ）に入る適切な金額を、（A）には適切な用語を答案用紙に記入しなさい。定額法にもとづき減価償却が行われており、減価償却費は月割計算によって計上する。なお、当社の決算日は毎年3月31日である。

［資料］

固　定　資　産　台　帳　　　　×5年3月31日現在

取得年月日	用　途	期末数量	耐用年数	期首（期中取得）取得原価	期首減価償却累計額	差引期首（期中取得）帳簿価額	当期減価償却費
備品							
×1年4月1日	備品a	1	8年	3,200,000	1,200,000	2,000,000	400,000
×3年11月1日	備品b	2	6年	1,620,000	112,500	1,507,500	270,000
×4年6月1日	備品c	3	5年	3,000,000	0	3,000,000	500,000
小　計				7,820,000	1,312,500	6,507,500	1,170,000

備　　品

日	付		摘　要	借　方	日	付		摘　要	貸　方
×4	4	1	前期繰越	（　ア　）	×5	3	31	次期繰越	（　　　）
	6	1	当座預金	（　イ　）					
				（　　　）					（　　　）

備品減価償却累計額

日	付		摘　要	借　方	日	付		摘　要	貸　方
×5	3	31	次期繰越	（　　　）	×4	4	1	前期繰越	（　ウ　）
					×5	3	31	（　A　）	（　エ　）
				（　　　）					（　　　）

（ア）		（イ）		（ウ）	
（エ）		（A）			

第2問(1)対策

4 商品有高帳

時間 10分

解答…P 226

次の仕入帳と売上帳の記録にもとづいて、A品について商品有高帳を作成し締め切りなさい。なお、商品の払出単価の決定は移動平均法により行い、摘要欄は取引の概要を記入する。

ただし、仕入戻しについては払出欄に商品を仕入れた時の単価で記入すること。

仕　入　帳

×8年		摘　要		金　額
1	7	土佐商店	約手	
		A品　20個　@¥115		2,300
	21	高知商店	掛	
		A品　15個　@¥120		1,800
	23	**高知商店**	**掛・返品**	
		A品　5個　@¥120		**600**
	28	香川商店	現金	
		B品　10個　@¥150		1,500

売　上　帳

×8年		摘　要		金　額
1	15	広島商店	掛	
		A品　20個　@¥165		3,300
	27	倉敷商店	掛	
		A品　15個　@¥170		2,550

商品有高帳

移動平均法　　　A　品

×8年		摘　要	受入			払出			残高		
			数量	単価	金額	数量	単価	金額	数量	単価	金額
1	1	前月繰越	10	100	1,000				10	100	1,000
	7	仕入れ									
	31	次月繰越									

第 2 問 (2) 対策

1 補助簿の選択

解答…P 228

株式会社静岡商店の×８年４月中の取引（一部）は次のとおりであった。それぞれの日付の取引が、答案用紙に示したどの補助簿に記入されるか答えなさい。解答にあたっては、該当する補助簿の欄に○印を付すこと。

5 日　埼玉商店から商品¥360,000 を仕入れ、代金は掛けとした。
12 日　愛知商店に商品¥337,500（原価¥270,000）を売り渡し、代金のうち¥180,000 は同店振出しの約束手形を受け取り、残額は掛けとした。
20 日　埼玉商店に対する掛代金¥270,000 の支払いのために約束手形を振り出した。
25 日　先月に岡山商店より建物¥6,000,000 と土地¥8,000,000 を購入する契約をしていたが、本日その引き渡しを受けた。この引き渡しにともない、購入代金のうち¥7,000,000 は契約時に仮払金勘定で処理していた手付金を充当し、残額は当座預金口座から振り込んだ。
30 日　12 日に愛知商店に売り渡した商品¥19,500 について品違いがあったため、返品を受け、これを承諾し、掛代金から差し引くこととした。

日付＼帳簿		当座預金出納帳	商品有高帳	売掛金元帳(得意先元帳)	買掛金元帳(仕入先元帳)	仕入帳	売上帳	受取手形記入帳	支払手形記入帳	固定資産台帳
4	5									
	12									
	20									
	25									
	30									

第２問(2)対策

2 語群選択

解答…P 229

次の文の（　ア　）から（　エ　）に当てはまる最も適切な語句を下記の語群から選び、答案用紙に記入しなさい。

1．健康保険料および厚生年金保険料の会社負担額は、（　ア　）勘定で処理する。

2．当社が振り出した約束手形について、支払期日に決済した場合、このことを支払手形記入帳の（　イ　）欄に記入する。

3．貸借平均の原理にもとづき、総勘定元帳への転記が正しく行われたかどうかを確認するため、もしくは期末の決算手続きを円滑に行うために作成する表を（　ウ　）という。

4．得意先元帳とは、得意先ごとの売掛金の増減を記録する（　エ　）である。

（語群）

棚卸表	総勘定元帳	法定福利費	諸口
補助記入帳	仕訳	仕丁	転記
試算表	摘要	元丁	てん末
損益	補助元帳	社会保険料預り金	

（ア）		（イ）		（ウ）	
（エ）					

第２問(2)

第2問(2)対策

3 語群選択

解答…P 230

次の文の（　ア　）から（　エ　）に当てはまる最も適切な語句を下記の語群から選び、答案用紙に記入しなさい。

1．貸倒引当金は、売掛金から差し引く形で貸借対照表に表示する。これは、貸倒引当金勘定が売掛金勘定の（　ア　）勘定であるからである。

2．取得後の固定資産について生じた支出のうち、修繕など固定資産の機能を維持するための支出を（　イ　）支出という。

3．販売した商品の返品があった場合、商品有高帳の受入欄の単価は（　ウ　）で記入する。

4．送金小切手、（　エ　）、配当金領収証などの通貨代用証券は現金勘定で処理する。

（語群）

自己振出小切手　統制　売価　資本的
ＩＣカード　収益的　普通為替証書　対照
原価　評価　擬制的

(ア)		(イ)		(ウ)	
(エ)					

第2問(2)対策

4 語群選択

解答…P 231

次の文の（　ア　）から（　エ　）に当てはまる最も適切な語句を下記の語群から選び、答案用紙に記入しなさい。

1．コピー用紙や文房具などの消耗品を購入したさいにかかる運送料（当社負担）は（　ア　）勘定で処理する。

2．請求書や領収書などのように、帳簿に記入する上での基礎資料となるものを（　イ　）という。

3．当期末の資本（純資産）から当期首の資本を差し引いて、一会計期間の当期純利益または当期純損失を計算する方法を（　ウ　）という。

4．（　エ　）勘定は、決算整理後の期末残高が借方にも、貸方にも生じる勘定科目である。

（語群）

当座借越	損益法	備品	補助簿
繰越利益剰余金	伝票	預り金	棚卸法
支払運賃	証ひょう	財産法	消耗品費

（ア）		（イ）		（ウ）	
（エ）					

第2問(2)対策

5 伝票会計

解答…P 233

次の（1）と（2）の取引が行われた場合、すでに記入済みの勘定科目および金額を参考に、それぞれ伝票の（ア）～（ク）に該当する勘定科目または金額を答えなさい。なお、商品売買の記帳は三分法によること。

（1）商品を¥120,000で仕入れ、代金のうち¥20,000については現金で支払い、残額は掛けとした。

出金伝票	
科目	金額
（ア）	（イ）

振替伝票			
借方科目	金額	貸方科目	金額
（ウ）	120,000	（エ）	120,000

（2）商品を¥230,000で売り渡し、代金のうち¥80,000については得意先振出しの小切手で受け取り、残額は掛けとした。

入金伝票	
科目	金額
売上	（オ）

振替伝票			
借方科目	金額	貸方科目	金額
売掛金	（カ）	（キ）	（ク）

（ア）		（イ）		（ウ）	
（エ）		（オ）		（カ）	
（キ）		（ク）			

第2問(2)対策

6 入出金明細

解答…P 234

取引銀行のインターネットバンキングサービスから普通預金口座の WEB 通帳（入出金明細）を参照したところ、次のとおりであった。そこで、各取引日において必要な仕訳を答えなさい。なお、島根商事株式会社および三重商事株式会社はそれぞれ当社の商品の取引先であり、商品売買取引はすべて掛けとしている。

入出金明細

日付	摘要	お支払金額	お預り金額	取引残高
7.16	ATM 入金		250,000	省略
7.17	振込　シマネシヨウジ（カ	400,000		
7.18	振込　ミエシヨウジ（カ		650,000	
7.20	給与振込	785,000		
7.20	振込手数料	500		

7月18日の入金は、当社負担の振込手数料￥1,000が差し引かれたものである。

7月20日の給与振込額は、所得税の源泉徴収額￥60,000を差し引いた額である。

7.16				
7.17				
7.18				
7.20				

第３問対策
1 精算表１

解答…P 236

次の決算整理事項等にもとづいて、答案用紙の精算表を完成しなさい。なお、会計期間は×７年４月１日から×８年３月31日までの１年間である。

決算整理事項等

1．得意先振出し、当社宛ての約束手形￥6,600が満期日をむかえ、当座預金口座に振り込まれていたが、この取引の記帳がまだ行われていなかった。
2．仮払金は全額、備品の購入に関するものであることが判明した。この備品は×７年10月１日に引渡しを受け、同日より使用を始めている。
3．決算につき現金を実査した結果、実際有高が￥210不足していることが判明したが、原因が不明であるため適切な処理を行う。
4．決算直前に前期発生分の売掛金￥3,900と当期発生分の売掛金￥2,400が回収不能となったが、全額貸倒引当金勘定で処理をしていた。
5．受取手形と売掛金の期末残高に対し、差額補充法により３％の貸倒引当金を計上する。
6．期末商品棚卸高は￥100,800であった。売上原価は「仕入」の行で計算すること。
7．購入時に費用処理した郵便切手の未使用高が￥1,170あるため、貯蔵品に振り替える。
8．固定資産の減価償却を行う。
　⑴　建物：定額法、耐用年数30年、残存価額　ゼロ
　⑵　備品（新・旧ともに）：定額法、耐用年数６年、残存価額　ゼロ
　　　ただし、新備品については月割計算による。
9．受取家賃は、毎年８月１日と２月１日に向こう半年分（毎回同額）を受け取っている。
10．支払利息は借入金に対する利息であり、当期の12月31日（利払日）までの利息が計上されている。利払日後、決算日現在まで借入金の変動はなく、年利率２％により利息の未払高を月割計上する。

精　算　表

勘定科目	残高試算表		修正記入		損益計算書		貸借対照表	
	借方	貸方	借方	貸方	借方	貸方	借方	貸方
現金	51,180							
当座預金	95,100							
受取手形	128,400							
売掛金	88,200							
繰越商品	84,000							
仮払金	63,000							
建物	900,000							
備品	135,000							
支払手形		31,680						
買掛金		89,400						
借入金		420,000						
貸倒引当金		1,200						
建物減価償却累計額		285,000						
備品減価償却累計額		90,000						
資本金		400,000						
繰越利益剰余金		146,900						
売上		1,506,300						
受取家賃		36,000						
仕入	1,155,000							
給料	288,000							
通信費	10,800							
貸倒損失	1,500							
支払利息	6,300							
	3,006,480	3,006,480						
雑（　）								
貸倒引当金（　）								
（　）								
減価償却費								
（　）家賃								
（　）利息								
当期純（　）								

第3問

第３問対策

2 精算表２

時間 20分

解答…P 242

次の決算整理事項等にもとづいて、答案用紙の精算表（残高試算表の空欄を含む）を完成しなさい。なお、会計期間は×１年４月１日から×２年３月31日までの１年間である。

決算整理事項等

1．現金過不足勘定は、期中に帳簿残高と照合したさい、実際有高が¥190過剰であったものである。決算につき、改めて調査したところ、受取手数料¥850、広告宣伝費¥750の記入漏れがあることが判明した。残額については、原因不明のため、雑損または雑益として処理する。
2．仮受金は、全額得意先に対する売掛金の回収額であることが判明した。
3．出張していた従業員が帰社し、¥12,000の概算払いをしていた旅費の精算を行い、残金¥1,050を現金で受け取っていたが、この取引の記帳をまだ行っていなかった。
4．受取手形と売掛金の期末残高に対し、差額補充法により、２％の貸倒引当金を計上する。
5．期末商品棚卸高は¥45,900であった。売上原価は「売上原価」の行で計算すること。
6．固定資産の減価償却を行う。
　⑴　建物：定額法、耐用年数40年、残存価額はゼロ
　⑵　備品：定額法、耐用年数８年、残存価額はゼロ
7．支払利息¥2,700は、すべて借入額（前期より変動はない）に対する当期の12月末日（利払日）までの利息であり、１月１日より年利率は3.2%に改定となった。利払いは半年ごとに行うため、次の利払日は６月末日である。よって、経過期間に対する利息の未払高を月割計上する。
8．受取地代は奇数月の月末にむこう２か月分として¥9,000を受け取っている。
9．購入時に費用処理した収入印紙の未使用高が¥600あるため、貯蔵品に振り替える。

精　　算　　表

勘定科目	残高試算表		修正記入		損益計算書		貸借対照表	
	借方	貸方	借方	貸方	借方	貸方	借方	貸方
現金	105,000							
現金過不足								
当座預金	202,290							
受取手形	84,000							
売掛金								
仮払金	12,000							
繰越商品	45,000							
建物	720,000							
備品	108,000							
支払手形		69,000						
買掛金		43,550						
仮受金		4,500						
借入金		120,000						
貸倒引当金		1,800						
建物減価償却累計額		405,000						
備品減価償却累計額		67,500						
資本金		400,000						
繰越利益剰余金		45,500						
売上		855,000						
受取地代		63,000						
受取手数料		2,250						
仕入	598,500							
給料	87,000							
租税公課	2,000							
支払地代	19,500							
旅費交通費	22,500							
広告宣伝費	13,300							
支払利息	2,700							
雑（　　）								
貸倒引当金（　　）								
売上原価								
減価償却費								
（　　）利息								
（　　）地代								
（　　）								
当期純（　　）								

第3問対策

3 財務諸表1

時間 20分

解答…P 247

次の［資料1］と［資料2］にもとづいて、答案用紙の貸借対照表および損益計算書を完成しなさい。なお、会計期間は×7年4月1日から×8年3月31日までの1年間である。

［資料1］

決算整理前残高試算表

借　　方	勘定科目	貸　　方
326,700	現金	
	当座預金	120,900
120,000	受取手形	
99,900	売掛金	
63,900	繰越商品	
240,000	貸付金	
300,000	建物	
120,000	備品	
	支払手形	42,300
	買掛金	50,400
	仮受金	9,900
	貸倒引当金	3,000
	建物減価償却累計額	110,000
	備品減価償却累計額	72,000
	資本金	600,000
	繰越利益剰余金	139,000
	売上	1,724,100
	受取手数料	10,800
1,341,600	仕入	
139,500	給料	
72,600	旅費交通費	
17,400	水道光熱費	
19,200	通信費	
15,300	保険料	
6,300	消耗品費	
2,882,400		2,882,400

［資料2］　未処理事項・決算整理事項

1．当座預金勘定の貸方残高全額を当座借越勘定に振り替える。なお、取引銀行とは借越限度額を¥300,000とする当座借越契約を結んでいる。

2．掛けで仕入れた商品の一部に品違いがあったため、¥600分返品したが未処理であった。

3．仮受金の残高は、得意先に対する売掛金の回収分であることが判明した。

4．期末商品棚卸高（2．の返品処理後）は¥76,500である。

5．受取手形および売掛金の期末残高に対して2％の貸倒れを見積もり、差額補充法により貸倒引当金を設定する。

6．建物および備品について、定額法により減価償却を行う。建物については耐用年数30年、残存価額はゼロ、備品については耐用年数5年、残存価額ゼロとする。

7．購入時に費用処理した郵便切手の未使用高が¥1,800あるため、貯蔵品勘定に振り替える。

8．貸付金は、当期の2月1日に貸付期間6か月、利率年3％（利息は元本返済時に一括して受取り）の条件で貸し付けたものである。決算にあたって利息の未収分を計上する。なお、利息の計算は月割りによること。

9．保険料は全額、建物に対する火災保険料であり、毎年同額を9月1日に12か月分として支払っている。

貸 借 対 照 表

×8年3月31日 （単位：円）

資産			負債・純資産	
現　　　金		326,700	支 払 手 形	（　　）
受 取 手 形	（　　）		買　掛　金	（　　）
貸倒引当金	（　　）	（　　）	（　　　　）	（　　）
売　掛　金	（　　）		資　本　金	（　　）
貸倒引当金	（　　）	（　　）	繰越利益剰余金	（　　）
商　　　品		（　　）		
（　　　　）		（　　）		
（　　）費用		（　　）		
（　　）収益		（　　）		
貸　付　金		（　　）		
建　　　物	（　　）			
減価償却累計額	（　　）	（　　）		
備　　　品	（　　）			
減価償却累計額	（　　）	（　　）		
		（　　）		（　　）

損 益 計 算 書

×7年4月1日から×8年3月31日まで （単位：円）

費用		収益	
売 上 原 価	（　　）	売　上　高	1,724,100
給　　　料	139,500	受 取 利 息	（　　）
貸倒引当金繰入	（　　）	受取手数料	10,800
減価償却費	（　　）		
旅費交通費	（　　）		
水道光熱費	（　　）		
通　信　費	（　　）		
保　険　料	（　　）		
消耗品費	（　　）		
当期純（　　）	（　　）		
	（　　）		（　　）

第３問対策

4 財務諸表２

時間 20分

解答…P 252

次の⑴決算整理前残高試算表、⑵決算整理事項等にもとづいて、答案用紙の貸借対照表と損益計算書を完成しなさい。なお、当会計期間は×７年４月１日から×８年３月31日までの１年間である。

⑴　決算整理前残高試算表

借　方	勘定科目	貸　方
871,000	現　金	
	当座預金	164,000
968,000	普通預金	
1,400,000	売掛金	
60,000	仮払金	
32,000	仮払法人税等	
1,420,000	繰越商品	
3,000,000	建　物	
	買掛金	680,000
	社会保険料預り金	15,000
	貸倒引当金	4,000
	建物減価償却累計額	1,500,000
	資本金	5,000,000
	繰越利益剰余金	373,000
	売　上	9,200,000
	受取手数料	64,000
6,720,000	仕　入	
1,920,000	給　料	
300,000	旅費交通費	
144,000	保険料	
165,000	法定福利費	
17,000,000		17,000,000

⑵　決算整理事項等

1．仮払金は、従業員の出張に伴う旅費交通費の概算額を支払ったものである。従業員はすでに出張から戻り、実際の旅費交通費¥48,000を差し引いた残額は現金で受け取ったが、この取引の記帳がまだ行われていない。

2．当座預金勘定の貸方残高全額を借入金勘定に振り替える。なお、取引銀行とは借越限度額を¥1,000,000とする当座借越契約を結んでいる。

3．売掛金の期末残高に対して２％の貸倒引当金を、差額補充法により設定する。

4．期末商品棚卸高は¥1,700,000である。

5．建物について、残存価額ゼロ、耐用年数30年として定額法で減価償却を行う。

6．保険料は全額当期の11月１日に向こう１年分を支払ったものであるため、前払分を月割で計上する。

7．手数料の未収分が¥36,000ある。

8．法定福利費の未払分¥15,000を計上する。

9．法人税等が¥64,800と確定したので、仮払法人税等との差額を未払法人税等として計上する。

貸借対照表

×8年3月31日　（単位：円）

現金		（　）	買掛金	（　）
普通預金		968,000	借入金	（　）
売掛金	（　）		（　）費用	（　）
貸倒引当金	（　）	（　）	（　）	（　）
商品		（　）	社会保険料預り金	15,000
（　）費用		（　）	資本金	5,000,000
（　）収益		（　）	繰越利益剰余金	（　）
建物	（　）			
（　）	（　）	（　）		
		（　）		（　）

損益計算書

×7年4月1日から×8年3月31日まで　（単位：円）

（　）	（　）	売上高	9,200,000
給料	（　）	受取手数料	（　）
貸倒引当金繰入	（　）		
減価償却費	（　）		
旅費交通費	（　）		
保険料	（　）		
法定福利費	（　）		
法人税、住民税及び事業税	64,800		
当期純（　）	（　）		
	（　）		（　）

第3問対策

5 決算整理後残高試算表

時間 20分

解答…P 256

当社（会計期間は×1年4月1日から×2年3月31日までの1年間）の⑴決算整理前残高試算表および⑵決算整理事項等にもとづいて、答案用紙の決算整理後残高試算表を完成させるとともに当期純利益または当期純損失の金額を答えなさい。

⑴ 決算整理前残高試算表

借　方	勘定科目	貸　方
121,500	現金	
262,360	普通預金	
80,000	売掛金	
52,640	仮払消費税	
40,500	繰越商品	
25,000	貸付金	
200,000	備品	
	買掛金	27,100
	前受金	2,500
	仮受消費税	64,800
	貸倒引当金	600
	借入金	30,000
	備品減価償却累計額	40,000
	資本金	500,000
	繰越利益剰余金	25,000
	売上	810,000
646,000	仕入	
72,000	給料	
1,500,000		1,500,000

⑵ 決算整理事項等

1．得意先から商品の内金¥10,000を現金で受け取っていたが、これを売上として処理していたので、適切に修正する。
2．現金の手許有高は¥121,250である。なお、帳簿残高との差異の原因は不明であるため、雑益または雑損として処理する。
3．売掛金の期末残高に対して2％の貸倒引当金を、差額補充法により設定する。
4．期末商品棚卸高は¥36,500である。
5．備品について、定額法（耐用年数5年、残存価額ゼロ）により減価償却を行う。
6．消費税（税抜処理）の処理を行う。
7．借入金は、当期の10月1日に期間1年、利率年2％、利息は元本返済時に支払う条件で借り入れたものである。当期末までの利息を月割りにより未払い計上する。
8．貸付金は、当期の9月1日に期間1年、利率年2.4％で貸し付けたもので、利息は元金とともに返済時に受け取ることになっている。当期末までの利息を月割りにより未収計上する。
9．未払法人税等¥11,000を計上する。

決算整理後残高試算表

借　　方	勘　定　科　目	貸　　方
	現　　　　　　金	
	普　通　預　金	
	売　　掛　　金	
	繰　越　商　品	
	貸　　付　　金	
	(　　　　)利　　息	
	備　　　　　　品	
	買　　掛　　金	
	前　　受　　金	
	(　　　　)消　費　税	
	(　　　　)利　　息	
	未　払　法　人　税　等	
	貸　倒　引　当　金	
	借　　入　　金	
	備品減価償却累計額	
	資　　本　　金	
	繰越利益剰余金	
	売　　　　　　上	
	受　取　利　息	
	仕　　　　　　入	
	給　　　　　　料	
	減　価　償　却　費	
	貸倒引当金繰入	
	支　払　利　息	
	雑　　　　　(　)	
	法人税、住民税及び事業税	

当期純利益または当期純損失の額　¥

（注）当期純損失の場合は金額の頭に△を付すこと。

省略とメモリー機能で電卓上手

スピードアップのための電卓術（ワザ）

電卓の上手な使い方をマスターすればスピードアップが図れ、得点力がアップします。
電卓を使いこなすテクニックを修得しましょう。

3つの省略テクニックでスピードUP

今までふつうに叩いていたキーを省略してスピードアップを図りましょう。

省略テクニック❶ 「計算途中の [=] キーは省略できる」

練習問題

片道の交通費が電車賃200円とバス代100円です。往復だといくらでしょうか？

計算式：(200円＋100円) ×2＝600円

普通の使い方：[2] [00] [+] [1] [00] [=] [×] [2] [=] 600

テクニック [2] [00] [+] [1] [00] [×] [2] [=] 600

Point [=] キーは省略できます。

省略テクニック❷ 「[0] を省略」

練習問題

販売価格1,000円で原価率60%（0.6）の商品の原価はいくらでしょうか？

計算式：1,000円×0.6＝600円

普通の使い方：[1] [00] [0] [×] [0] [.] [6] [=] 600

テクニック [1] [00] [0] [×] [.] [6] [=] 600

Point [0] は省略できます。

省略テクニック❸ 「[%] キーを使って [=] キーを省略」

練習問題

販売価格1,000円で原価率60%（0.6）の商品の原価はいくらでしょうか？

テクニック [1] [00] [0] [×] [6] [0] [%] 600

Point [=] キーを押す必要はありません。

基礎編
解答解説

1 問題1　一般知識

1	2	3
ルカ・パチョーリ	福沢諭吉	帳簿記入

簿記は「Bookkeeping」（英語で簿記の意味）が日本語になったという説もあるよ。

2 問題2　自分貸借対照表を作ろう！

1	2	3	4	5
○	○	○	×	×

4．資産と負債だけではなく、その差額である資本も記載されます。
5．資本と収益は貸方（右側）で増加し、費用は借方（左側）で増加します。

3 問題3　自分損益計算書を作ろう！

1	2	3	4
○	○	○	○

4 問題4　貸借対照表と損益計算書

(1)

	当期の収益	当期の費用	当期の利益または損失
A社	¥ 338,800	¥ 268,800	(¥ 70,000)
B社	¥ 252,000	(¥ 301,000)	△¥ 49,000
C社	(¥ 392,000)	¥ 308,000	¥ 84,000

(2)

	期首の資本	当期の利益または損失	期末の資本
A社	¥ 350,000	(¥ 70,000)	¥ 420,000
B社	(¥ 364,000)	△¥ 49,000	¥ 315,000
C社	¥ 441,000	¥ 84,000	(¥ 525,000)

解説

A社　(1)　当期の利益または損失：¥338,800 ⊖ ¥268,800 ⊜ ¥70,000（利益）
　　　(2)　当期の利益または損失：¥420,000 ⊖ ¥350,000 ⊜ ¥70,000（利益）
B社　(1)　当期の費用：¥252,000 ⊖ △¥49,000 ⊜ ¥301,000
　　　(2)　期首の資本：¥315,000 ⊖ △¥49,000 ⊜ ¥364,000
C社　(1)　当期の収益：¥308,000 ⊕ ¥84,000 ⊜ ¥392,000
　　　(2)　期末の資本：¥441,000 ⊕ ¥84,000 ⊜ ¥525,000

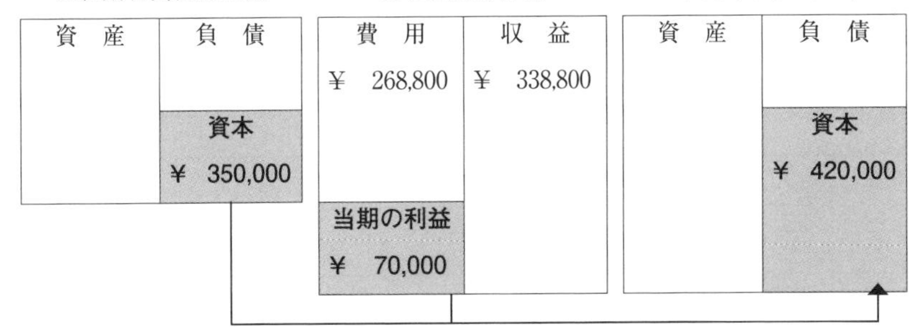

5 問題5　ホームポジション

1	2	3	4	5
A	B	B	B	A

解説

資産・費用	
(+)	(−)
増 加	減 少

負債・資本・収益	
(−)	(+)
減 少	増 加

資産と費用のホームポジションは左側、負債・資本・収益のホームポジションは右側です。

問題6　貸借対照表項目の分類

①	②	③	④	⑤	⑥	⑦	⑧	⑨	⑩
A	C	A	A	B	A	B	A	A	A
⑪	⑫	⑬	⑭	⑮	⑯	⑰	⑱	⑲	⑳
B	A	C	B	A	B	B	A	B	B
㉑	㉒	㉓	㉔	㉕					
A	A	B	B	B					

問題7　損益計算書項目の分類

①	②	③	④	⑤	⑥	⑦	⑧	⑨	⑩
D	E	E	D	E	E	E	E	D	E
⑪	⑫	⑬	⑭	⑮	⑯				
E	D	E	E	D	E				

問題8　5要素の分類

①	②	③	④	⑤	⑥	⑦	⑧	⑨	⑩
A	D	B	B	A	E	E	B	A	D
⑪	⑫	⑬	⑭	⑮	⑯	⑰	⑱	⑲	⑳
C	E	B	A	A	A	B	C	A	A

第2章

問題9　仕訳のルール

	借方科目	金額	貸方科目	金額
1日	現金	300,000	借入金	300,000
8日	貸付金	70,000	現金	70,000
12日	土地	90,000	現金	90,000
16日	現金	10,000	受取利息	10,000
27日	支払家賃	70,000	現金	88,000
	水道光熱費	18,000		

資産・負債・資本・収益・費用のホームポジションをしっかりとおさえましょう。

1日 西都銀行から現金 ¥300,000 を借り入れた。
⇒「現金（資産）の増加」／「借入金（負債）の増加」

8日 取引先に依頼され、現金 ¥70,000 を貸し付けた。
⇒「貸付金（資産）の増加」／「現金（資産）の減少」

12日 土地を ¥90,000 で購入し、代金は現金で支払った。
⇒「土地（資産）の増加」／「現金（資産）の減少」

16日 利息 ¥10,000 を現金で受け取った。
⇒「現金（資産）の増加」／「受取利息（収益）の増加」

27日 家賃 ¥70,000 と水道光熱費 ¥18,000 を現金で支払った。
⇒「支払家賃（費用）の増加」／「現金（資産）の減少」
「水道光熱費（費用）の増加」

現　金

4/1 借入金	300,000	4/8 貸付金	70,000
16 受取利息	10,000	12 土地	90,000
		27 諸口	88,000

貸付金

4/8 現金	70,000		

土　地

4/12 現金	90,000		

支払家賃

4/27 現金	70,000		

水道光熱費

4/27 現金	18,000		

借入金

		4/1 現金	300,000

受取利息

		4/16 現金	10,000

現金勘定の残高：　¥ 62,000

転記のルールをしっかりとおさえましょう。

現金勘定の残高

現　金

4/1 借入金	300,000	4/8 貸付金	70,000
16 受取利息	10,000	12 土地	90,000
		27 諸口	88,000
		} 現金残高　¥62,000	

7 問題11　現金の範囲

現金として扱われるもの

ア、ウ、キ、ク、ケ

問題12　現金の処理

	借方科目	金額	貸方科目	金額
1	現金	38,000	受取利息	38,000
2	現金	8,500	受取手数料	8,500

1.「大和商店振出しの小切手」は他人振出小切手に該当します。

現金として処理するものの範囲に注意して。代表的な「通貨代用証券」はしっかりとおさえましょう。

8 問題13　銀行名を付した預金勘定

	借方科目	金額	貸方科目	金額
1	未払金	800	普通預金ＮＥＴ銀行	800
2	普通預金ＡＢＣ銀行	10,000	定期預金ＡＢＣ銀行	10,000
3	普通預金ＮＥＴ銀行	3,000	普通預金ＡＢＣ銀行	3,000

本試験では「定期預金ＮＥＴ銀行」などのダミーの勘定科目も与えられますので、科目名をきちんと確認したうえで解答するようにしましょう。

9 問題14 預金の処理

	借方科目	金額	貸方科目	金額
1	定期預金	500,000	普通預金	500,000
	支払手数料	2,000	現金	2,000
2	支払地代	35,000	当座預金	35,000
3(1)	当座預金	500,000	普通預金	500,000
3(2)	水道光熱費	9,000	当座預金	9,000

＊ 3の当座勘定照合表は当座預金の増減を示します。

当座預金については、「小切手」の取り扱いに関し、注意が必要です。

取引内容	会計処理
自社が小切手を振り出した	**当座預金の減少**
他人振り出しの小切手を**受け取った**	現金の増加
他人振り出しの小切手を受取り、**ただちに当座預金に預け入れた**	当座預金の増加

問題15　勘定口座への記入

現　金　(単位：円)

4/1	前期繰越	70,000	4/30	(支払家賃)	(1,200)

普通預金　(単位：円)

4/1	前期繰越	300,000	2/27	(定期預金)	(100,000)
			3/2	(旅費交通費)	(2,000)
			3/31	(諸　口)	(26,000)

定期預金　(単位：円)

2/27	(普通預金)	(100,000)			

当座預金　(単位：円)

4/1	前期繰越	200,000	4/20	(備　品)	(10,000)
11/10	(受取手数料)	(12,000)			

解説

4月20日

小切手の振出しは、当座預金の減少として処理します。

(借)備　品　10,000　(貸)当座預金　10,000

4月30日

家賃の支払いは、支払家賃として処理します。

(借)支払家賃　1,200　(貸)現　金　1,200

11月10日

小切手を受け取った場合には現金の増加として処理しますが、ただちに当座預金とした場合には、当座預金の増加として処理します。

(借)当座預金　12,000　(貸)受取手数料　12,000

2月27日

(借)定期預金　100,000　(貸)普通預金　100,000

3月2日

(借)旅費交通費　2,000　(貸)普通預金　2,000

3月31日

(借)通信費　18,000　(貸)普通預金　26,000
　　水道光熱費　8,000

10 問題 16　収益の処理

	借方科目	金額	貸方科目	金額
1	現金	18,000	受取手数料	18,000
2	普通預金	50,000	受取家賃	50,000
3	当座預金	40,000	受取地代	40,000

建物を賃貸しているとき⇒受取家賃
土地を賃貸しているとき⇒受取地代

11 問題 17　費用の処理①

	借方科目	金額	貸方科目	金額
1	保険料	15,000	現金	15,000
2	通信費	24,000	普通預金	24,000
3	倉庫料	3,000	当座預金	3,000

倉庫料については、勘定科目として「保管料」や「保管費」を与えられる可能性があります。

問題18　費用の処理②

	借方科目	金額	貸方科目	金額
1	通信費	14,000	現金	14,000
2	租税公課	40,000	現金	40,000
3	貯蔵品	4,200	通信費	4,200
4	貯蔵品	16,000	租税公課	16,000

1．通信費の処理

通信費：ハガキ、切手などを購入したときに用いる。

	通信費の処理			
購入時	（通信費）	×××	（現金等）	×××
決算時	（貯蔵品）	×××	（通信費）	×××

2．租税公課の処理

租税公課：収入印紙などを購入したときに用いる。

	租税公課の処理			
購入時	（租税公課）	×××	（現金等）	×××
決算時	（貯蔵品）	×××	（租税公課）	×××

通信費でも租税公課でも、期末に残っている分を貯蔵品に振り替えます。

問題 19　費用の処理③

借方科目	金額	貸方科目	金額
消耗品費	26,040	未払金	26,040

証ひょうからの仕訳

本問の請求書は、「ＮＳ株式会社が、霧島商会株式会社から消耗品を購入し、購入代金を X9 年 2 月 26 日までに、霧島商会株式会社の普通預金口座に振り込む」と読み取ります。下記の請求書をみて確認してみましょう。

請求書

ＮＳ株式会社　様

霧島商会株式会社

品物	数量	単価	金額
A3 印刷用紙	20	1,000	¥20,000
プリンターインク・イエロー	6	840	¥ 5,040
送料	―	―	¥ 1,000
	合計		¥26,040

X9 年 2 月 26 日までに合計額を下記口座へお振込み下さい。

東京銀行神保町支店　普通　8746314　キリシマシヨウカイ（カ

送料も消耗品費に含めるので注意しましょう。

問題20　商品売買の処理①

第1問

		借方科目	金額	貸方科目	金額
1	(1)	売掛金	140,000	売上	140,000
	(2)	売上	14,000	売掛金	14,000
	(3)	当座預金	180,000	売掛金	180,000
2	(1)	現金	28,000	前受金	28,000
	(2)	前受金	28,000	売上	210,000
		売掛金	182,000		
3	(1)	仕入	145,000	買掛金	145,000
	(2)	買掛金	14,000	仕入	14,000
	(3)	買掛金	40,000	当座預金	40,000
4	(1)	前払金	28,000	現金	28,000
	(2)	仕入	210,000	前払金	28,000
				買掛金	182,000

第2問

(a) 当月純売上高　¥ 126,000
(b) 当月末時点の得意先に対する売掛金残高　¥ 239,000

第3問

(a) 当月純仕入高　¥ 131,000
(b) 当月末時点の仕入先に対する買掛金残高　¥ 119,000

第2問

1．当月純売上高

当月純売上高は、当月総売上高から返品を控除した当月の正味の商品売上高を示します。これは売上勘定の貸借差額として求めることができます。

売　　上

借方		貸方	
⑵ 売掛金	14,000	⑴ 売掛金	140,000
当月純売上高	126,000		

2．当月末時点の得意先に対する売掛金残高

当月末時点の得意先に対する売掛金残高は、売掛金勘定の貸借差額として求めることができます。

売　掛　金

借方		貸方	
前月繰越	293,000	⑵ 売上	14,000
⑴ 売上	140,000	⑶ 当座預金	180,000
		当月末時点の売掛金残高	239,000

第3問

1．当月純仕入高

当月純仕入高は、当月総仕入高から返品を控除した当月の正味の商品仕入高を示します。これは仕入勘定の貸借差額として求めることができます。

仕　　入

借方		貸方	
⑴ 買掛金	145,000	⑵ 買掛金	14,000
		当月商品純仕入高	131,000

2．当月末時点の仕入先に対する買掛金残高

当月末時点の仕入先に対する買掛金残高は、買掛金勘定の貸借差額として求めることができます。

買　掛　金

借方		貸方	
⑵ 仕入	14,000	前月繰越	28,000
⑶ 当座預金	40,000	⑴ 仕入	145,000
当月末時点の買掛金残高	119,000		

問題 21　商品売買の処理②

	借方科目	金額	貸方科目	金額
1	仕入	130,000	買掛金	130,000
2	売掛金	158,000	売上	158,000

解説

商品売買における三分法の仕訳を請求書から答えさせる問題です。請求書から仕訳をする問題において重要なことは、自社が仕入側なのか売上側なのかをしっかり把握することです。

1．請求書の読み取り（仕入側）

下記の請求書には、「信濃株式会社　御中」との記載があるので、阿賀野食品株式会社から信濃株式会社に送られてきた請求書であることがわかります。

つまり、信濃株式会社は仕入側です。

請求書

信濃株式会社　御中

阿賀野食品株式会社

品物	数量	単価	金額
マンゴープリンセット	60	1,500	¥ 90,000
イチゴ大福セット	20	2,000	¥ 40,000
	合計		¥130,000

X9 年 5 月 30 日までに合計額を下記口座へお振込み下さい。

川名銀行新潟支店　普通　1234765　アガノシヨクヒン（カ

2．請求書の読み取り（売上側）

売上側は請求書をお客さんに送付するとき自社で、どの商品を売ったのかを確かめるためにコピー等をとって控えをとっておきます。下記の請求書は､｢請求書（控）｣と記載があります。

つまり、信濃株式会社は売上側です。

請求書（控）

鬼怒商店　御中

信濃株式会社

品物	数量	単価	金額
マンゴープリンセット	60	1,800	¥108,000
イチゴ大福セット	20	2,500	¥　50,000
	合計		¥158,000

X9 年 6 月 29 日までに合計額を下記口座へお振込み下さい。

川名銀行神保町支店　普通　1237765　シナノ（カ

問題22　クレジット売掛金・受取商品券

	借方科目	金額	貸方科目	金額
1	クレジット売掛金	190,000	売上	560,000
	現金	370,000		
2	普通預金	190,000	クレジット売掛金	190,000
3	受取商品券	20,000	売上	20,000
4	備品	60,000	受取商品券	20,000
			現金	40,000

1．クレジット売掛金

商品をクレジット払いの条件で販売した場合、信販会社に対する債権となるため、一般の売掛金とは区別して、クレジット売掛金で処理します。また、本問では出題されていませんが、信販会社への手数料は支払手数料で処理します。

2．受取商品券

売上げの対価として受け取る百貨店などが発行する商品券です。受け取ったあとは現金などに精算されるほか、備品や消耗品などを買うときに利用されることもあります。

13 問題23 売上原価の算定

問1 仕入勘定を用いる方法

	借方科目	金額	貸方科目	金額
1	仕入	35,000	繰越商品	35,000
2	繰越商品	28,000	仕入	28,000

問2 売上原価勘定を用いる方法

	借方科目	金額	貸方科目	金額
1	売上原価	35,000	繰越商品	35,000
2	売上原価	105,000	仕入	105,000
3	繰越商品	28,000	売上原価	28,000

問3 当期の利益 ¥ 88,000

1．**売上原価とは**

売上原価は、販売した商品の原価のことです。繰越商品勘定の前期繰越高は、前期から繰り越された**期首商品棚卸高**を、仕入勘定の残高は**当期商品純仕入高**を示しています。

売上原価　＝　期首商品棚卸高　＋　当期商品純仕入高　－　期末商品棚卸高

2．**仕入勘定で売上原価を計算する場合（問1）**

上記の3要素を仕入勘定に集計することで、仕入勘定において売上原価を求めます。

売上原価をなぜ計算するのか、その目的を考えよう。企業は本業の商品売買でいくらの利益を得たのかを知りたいものなんだ。売上総利益は売上高から売上原価を差し引いて求めるため、売上原価を求める必要があると覚えておこう。

仕　　入

借方	金額	貸方	金額
買掛金など	105,000	**繰越商品**	28,000
繰越商品	35,000	} 売上原価　¥112,000	

当期売上原価：¥35,000 ＋ ¥105,000 － ¥28,000 ＝ ¥112,000

3．**売上原価勘定で売上原価を計算する場合（問2）**

この方法では、売上原価の3要素を売上原価勘定に集計することで、売上原価勘定において売上原価を求めます。

売　上　原　価

借方	金額	貸方	金額
繰越商品	35,000	**繰越商品**	28,000
仕　入	105,000	} 売上原価　¥112,000	

4．**当期の利益の計算**

当期の利益：¥200,000 － ¥112,000 ＝ ¥88,000

問題 24　勘定口座への記入

繰越商品　　(単位：円)

4/1 前期繰越	30,000	3/31（仕　　入）	(30,000)
3/31（仕　　入）	(18,000)		

売　上　　(単位：円)

		2/1（諸　　口）	(100,000)

仕　入　　(単位：円)

8/1（諸　　口）	(50,000)	8/2（買 掛 金）	(3,000)
3/31（繰越商品）	(30,000)	3/31（繰越商品）	(18,000)

解説

7月1日

手付金の支払いは前払金勘定で処理します。

(借) 前 払 金	10,000	(貸) 現　　金	10,000

8月1日

(借) 仕　　入	50,000	(貸) 前 払 金	10,000
		買 掛 金	40,000 *

＊ ¥50,000 − ¥10,000 = ¥40,000

8月2日

(借) 買 掛 金	3,000	(貸) 仕　　入	3,000

1月1日

手付金の受け取りは前受金勘定で処理します。

(借) 現　　金	15,000	(貸) 前 受 金	15,000

2月1日

(借) 前 受 金	15,000	(貸) 売　　上	100,000
売 掛 金	85,000 *		

＊ ¥100,000 − ¥15,000 = ¥85,000

3月31日

売上原価の算定

(借) 仕　　入	30,000	(貸) 繰越商品	30,000
(借) 繰越商品	18,000	(貸) 仕　　入	18,000

14 問題25　約束手形の処理

		借方科目	金額	貸方科目	金額
1	(1)	仕入	196,000	買掛金	196,000
	(2)	買掛金	196,000	支払手形	196,000
	(3)	支払手形	196,000	当座預金	196,000
2	(1)	売掛金	266,000	売上	266,000
	(2)	受取手形	266,000	売掛金	266,000
	(3)	当座預金	266,000	受取手形	266,000

約束手形の処理のまとめ

約束手形の振出し：約束手形を発行すること
振出人：約束手形を発行した人。期日に代金の支払いを約束したことになる。
名宛人：約束手形を受け取った人。期日に代金を受け取る権利が生じる。
支払手形：手形代金支払いの義務を表す負債の勘定
受取手形：手形代金受取りの権利を表す資産の勘定

名宛人は指図人または受取人と呼ぶことがあるよ！

	振出人	名宛人
振出し時 (受取時)	(○○)　×× ／**(支払手形)**　××	**(受取手形)**　×× ／(○○)　××
期日	**(支払手形)**　×× ／(当座預金)　××	(当座預金)　×× ／**(受取手形)**　××

第6章

15 問題26　貸付金と借入金

	借方科目	金額	貸方科目	金額
1	貸付金	140,000	現金	140,000
2	手形貸付金	70,000	現金	70,000
3	現金	18,620	手形貸付金	16,800
			受取利息	1,820
4	現金	28,000	借入金	28,000
5	普通預金	40,600	手形借入金	42,000
	支払利息	1,400		
6	借入金	600,000	当座預金	606,000
	支払利息	6,000		

貸付金・借入金と手形貸付金・手形借入金との違いや使い方に注意しましょう。

1．貸付金・手形貸付金

	貸付金	手形貸付金
共通する点	誰かに金銭を貸し付けることによって生じた債権	
異なる点	証書貸付の場合に用いる	手形貸付の場合に用いる

2．借入金と手形借入金

	借入金	手形借入金
共通する点	誰かから金銭を借り入れることによって生じた債務	
異なる点	証書借入の場合に用いる	手形借入の場合に用いる

取引5　普通預金：¥42,000（借入額）㊀ ¥1,400（支払利息）㊁ ¥40,600

手形貸付金や手形借入金に関する問題でも、指定勘定科目の中に貸付金あるいは借入金しかない場合、貸付金または借入金勘定で処理することがあります。

16 問題27　役員貸付金と役員借入金

	借方科目	金額	貸方科目	金額
1	役員貸付金	700,000	普通預金	700,000
2	普通預金	400,000	役員貸付金	400,000
3	当座預金	1,000,000	役員借入金	1,000,000
4	役員借入金	1,000,000	普通預金	1,000,000

会社の構成員である役員からお金を貸し借りするという取引はイメージがつきにくいですが、問題文の「役員」を「取引先」または「銀行」と読みかえれば、通常の貸付金・借入金となんら異なる点はありません。

1. 役員貸付金

役員貸付金：会社が役員にお金を貸したときに用いる。

	役員貸付金の処理			
貸付時	(役員貸付金)	×××	(現金等)	×××
返済時	(現金等)	×××	(役員貸付金)	×××

2. 役員借入金

役員借入金：会社が役員からお金を借りたときに用いる。

	役員借入金の処理			
借入時	(現金等)	×××	(役員借入金)	×××
返済時	(役員借入金)	×××	(現金等)	×××

重要なのは、「会社」の立場からお金を貸したのか、または借りたのかを意識することです。

17 問題 28　電子記録債権と電子記録債務

		借方科目	金額	貸方科目	金額
1	(1)	買掛金	300,000	電子記録債務	300,000
	(2)	電子記録債権	300,000	売掛金	300,000
2		当座預金	300,000	電子記録債権	300,000
3		電子記録債務	300,000	普通預金	300,000

解説

1．電子記録債権と電子記録債務の発生時

最上商店株式会社

買掛金の支払いを電子債権記録機関で行うため、取引銀行を通して債務の発生記録を行った場合、「買掛金」を減少させ、「電子記録債務」を計上します。

利根商店株式会社

取引銀行よりその通知を受けたさい、「売掛金」を減少させ、「電子記録債権」を計上します。

2．電子記録債権の消滅時（本問では利根商店株式会社）

支払期日が到来し、債権額が当座預金口座に振り込まれたので、電子記録債権は消滅します。

3．電子記録債務の消滅時（本問では最上商店株式会社）

支払期日が到来し、債務額が普通預金口座から引き落とされたので、電子記録債務は消滅します。

18 問題 29　未収入金と未払金

	借方科目	金額	貸方科目	金額
1	売掛金	140,000	売上	140,000
2	現金	140,000	売掛金	140,000
3	消耗品費	30,000	未払金	30,000
4	未払金	30,000	当座預金	30,000

未収入金・未払金と売掛金・買掛金との違いや使い方に注意しましょう。

1．未収入金と売掛金

	未収入金	売掛金
共通する点	物品などを売った場合に生じる未収金	
異なる点	固定資産などの売却の際に用いる	商品の販売に限定して用いる

2．未払金と買掛金

	未払金	買掛金
共通する点	物品などを購入した場合に生じる未払金	
異なる点	固定資産などの購入の際に用いる	商品の仕入に限定して用いる

問題 30　勘定口座への記入

受取手形　（単位：円）

4/1　前期繰越	30,000	3/26（当座預金）	（150,000）
2/25（売　上）	（150,000）		

支払手形　（単位：円）

5/28（当座預金）	（50,000）	4/10（仕　入）	（50,000）
3/31（当座預金）	（80,000）	2/1（仕　入）	（80,000）

解説

4月10日

（借）仕入	60,000	（貸）支払手形	50,000
		買掛金	10,000 *

＊　¥60,000 − ¥50,000 = ¥10,000

5月28日

（借）支払手形	50,000	（貸）当座預金	50,000

6月30日

（借）買掛金	10,000	（貸）当座預金	10,000

2月1日

（借）仕入	80,000	（貸）支払手形	80,000

2月25日

（借）現金	50,000	（貸）売上	200,000
受取手形	150,000		

3月26日

（借）当座預金	150,000	（貸）受取手形	150,000

3月31日

（借）支払手形	80,000	（貸）当座預金	80,000

問題 31　固定資産の処理①

	借方科目	金額	貸方科目	金額
1	土地	3,800,000	当座預金	3,720,000
			現金	80,000
2	減価償却費	30,000	建物減価償却累計額	30,000
3	建物減価償却累計額	1,080,000	建物	1,200,000
	減価償却費	17,500	固定資産売却益	27,500
	現金	130,000		
4	備品	1,080,000	未払金	1,050,000
			現金	30,000
5	備品減価償却累計額	810,000	備品	1,080,000
	減価償却費	67,500		
	現金	80,000		
	固定資産売却損	122,500		
6	建物	300,000	普通預金	350,000
	修繕費	50,000		

1．固定資産の購入

取得原価：￥18,000（購入代価）× 200㎡ ＋ ￥120,000（購入手数料）＋ ￥80,000（整地費用）＝ ￥3,800,000

2．定額法による減価償却費の計算

減価償却費：￥1,200,000（取得原価）÷ 40年（耐用年数）＝ ￥30,000

3．固定資産の売却（間接法による記帳）

建物：取得原価 ￥1,200,000

建物減価償却累計額：￥1,080,000

差額￥120,000が期首の帳簿価額

⇓

期首から７か月後に売却。その分価値が減っているので、７か月分の減価償却費を計上して帳簿価額を下げる。

減価償却費：¥1,200,000 ÷ 40年 × 7か月 ÷ 12か月 ＝ ¥17,500

帳簿価額：¥1,200,000（取得原価） － ¥1,080,000（減価償却累計額） － ¥17,500（減価償却費） ＝ ¥102,500

売却益：¥130,000（売却価額） － ¥102,500（帳簿価額） ＝ ¥ 27,500

4．固定資産の購入

取得原価：¥1,050,000（購入代価） ＋ ¥30,000（引取運送費） ＝ ¥1,080,000

5．固定資産の売却（間接法による記帳）

備品		備品減価償却累計額
取得原価 ¥1,080,000		¥810,000

差額¥270,000が期首の帳簿価額

⇓

期首から3か月後に売却。その分価値が減っているから、3か月分の減価償却費を計上して帳簿価額を下げる。

減価償却費：¥1,080,000 ÷ 4年 × 3か月 ÷ 12か月 ＝ ¥67,500

帳簿価格：¥1,080,000（取得原価） － ¥810,000（減価償却累計額） － 67,500（減価償却費） ＝ ¥202,500

売却損：¥80,000（売却価額） － ¥202,500（帳簿価額） ＝ △¥122,500

6．改良と修繕

建物の壁を防火壁にするための支出⇒建物の機能を高める。

定期修繕費⇒建物の機能を回復させる。

問題 32　固定資産の処理②

	借方科目	金額	貸方科目	金額
1	備品	270,000	未払金	270,000
2	備品	100,000	未払金	104,500
	消耗品費	4,500		

1．セットアップ費用
付随費用であるため備品の取得原価に含めます。

2．Ａ４コピー用紙は、消耗品であるため、備品と混同しないよう注意しましょう。

問題33　勘定口座への記入

土　地　(単位：円)

4/10	(当座預金)	(800,000)			

建　物　(単位：円)

4/1	前期繰越	600,000	11/30	(諸口)	(600,000)
4/20	(当座預金)	(1,200,000)			

建物減価償却累計額　(単位：円)

11/30	建物	(120,000)	4/1	前期繰越	120,000
			3/31	(減価償却費)	(22,000)

備　品　(単位：円)

12/1	(当座預金)	(150,000)			

備品減価償却累計額　(単位：円)

			3/31	(減価償却費)	(5,000)

解説

4月10日

(借) 土　　地	800,000	(貸) 当 座 預 金	800,000

4月20日

固定資産取得のための付随費用は、固定資産の取得原価に含めます。

(借) 建　　物	1,200,000	(貸) 当 座 預 金	1,200,000

11月30日

当期首から売却時までの減価償却費を月割り計算で計上します。また、売却価額と売却時の帳簿価額との差額を、固定資産売却損（益）とします。

(借) 建物減価償却累計額	120,000	(貸) 建　　物	600,000
減 価 償 却 費	8,000 *1		
当 座 預 金	460,000		
固定資産売却損	12,000 *2		

*1　¥600,000 ÷ 50年 × $\frac{8か月}{12か月}$ = ¥8,000

*2　¥460,000 −（¥600,000 − ¥120,000 − ¥8,000）＝△¥12,000（売却損）

12月1日

(借) 備　　品	150,000 *	(貸) 当 座 預 金	150,000

*　¥145,000 + ¥5,000 = ¥150,000

3月31日

(1)　減価償却：建物

(借) 減 価 償 却 費	22,000 *	(貸) 建物減価償却累計額	22,000

*　¥1,200,000 ÷ 50年 × $\frac{11か月}{12か月}$ = ¥22,000

(2)　減価償却：備品

(借) 減 価 償 却 費	5,000 *	(貸) 備品減価償却累計額	5,000 *

*　¥150,000 ÷ 10年 × $\frac{4か月}{12か月}$ = ¥5,000

20 問題34　仮払金と仮受金

		借方科目	金額	貸方科目	金額
1	(1)	仮払金	23,000	現金	23,000
	(2)	旅費交通費	21,000	仮払金	23,000
		現金	2,000		
2	(1)	現金	35,000	仮受金	35,000
	(2)	仮受金	35,000	売掛金	35,000

1．仮払金の処理

仮払金：内容や勘定科目が不明の支出が行われたときに用いる（資産の勘定）

	仮払金の処理			
仮払時	（**仮払金**）	×××	（現金等）	×××
判明時	（○○○）	×××	（**仮払金**）	×××

2．仮受金の処理

仮受金：内容や勘定科目が不明の受取りが行われたときに用いる（負債の勘定）

	仮受金の処理			
仮受時	（現金等）	×××	（**仮受金**）	×××
判明時	（**仮受金**）	×××	（○○○）	×××

21 問題35 立替金と預り金

	借方科目	金額	貸方科目	金額
1	従業員立替金	14,000	現金	14,000
2	給料	280,000	従業員立替金	14,000
			所得税預り金	21,000
			社会保険料預り金	12,000
			現金	233,000
3	所得税預り金	21,000	現金	21,000
4	社会保険料預り金	12,000	現金	24,000
	法定福利費	12,000		

1．立替金の処理

立替金：取引先や従業員に対して立替え払いを行ったときに用いる（資産の勘定）

	立替金の処理			
立替え時	（**立替金**）	×××	（現金等）	×××
回収時	（○○○）	×××	（**立替金**）	×××

本試験では「従業員立替金」などの勘定科目で出題されているよ！

2．預り金の処理

預り金：従業員から金銭を預かったときに用いる（負債の勘定）

	預り金の処理			
預り時	（給料）	×××	（**預り金**）	×
			（現金）	××
納付時	（**預り金**）	×××	（○○○）	×××

従業員からは毎月、社会保険料や源泉所得税を預かるよ！本試験では「社会保険料預り金」や「所得税預り金」などの勘定科目で出題されているよ。

現金：¥280,000（給料総額）－ ¥14,000（立替金）－ ¥21,000（所得税）－ ¥12,000（社会保険料）＝ ¥233,000

社会保険料の会社負担額は法定福利費を用いるよ！

第8章

	借方科目	金額	貸方科目	金額
1	仮払法人税等	170,000	普通預金	170,000
2	法人税、住民税及び事業税	356,000	仮払法人税等	170,000
			未払法人税等	186,000
3	未払法人税等	186,000	普通預金	186,000

解説

法人税等の論点について、領収証書から仕訳をする問題です。領収証書は様々な記載がありますが、問題を解くときに確認しなければならないのは、「合計額」と「納期等の区分」だけですので、難しく考える必要はありません。

1．中間納付

中間納付のさい、支払った額は仮払法人税等で処理します。

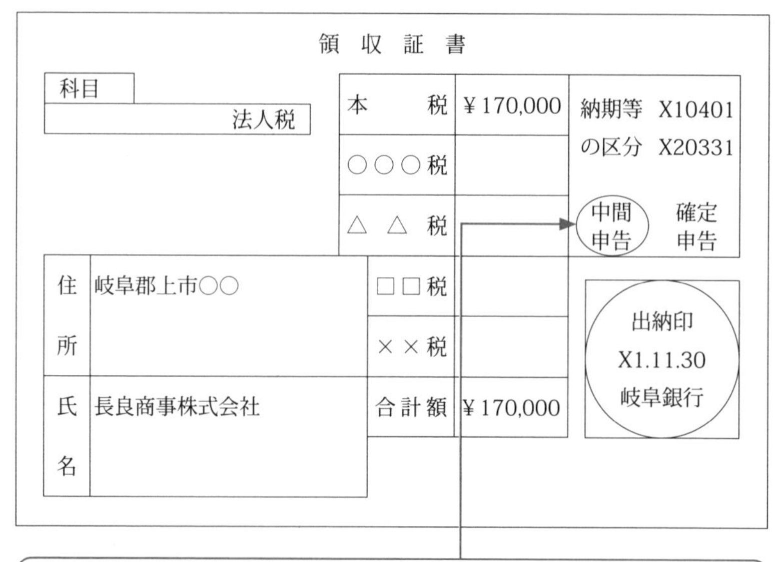
領収証書

科目 法人税

本税	￥170,000
○○○税	
△△税	
□□税	
××税	
合計額	￥170,000

納期等の区分 X10401 X20331

中間申告（○） 確定申告

住所 岐阜郡上市○○

氏名 長良商事株式会社

出納印 X1.11.30 岐阜銀行

「納期等の区分」の「中間申告」に○が付いているので中間納付であると判断します。

2．当期の法人税額の算定

法人税、住民税及び事業税：¥250,000（法人税）＋ ¥50,000（住民税）＋ ¥56,000（事業税）＝ ¥356,000

3．未払法人税等の算定

未払法人税等：¥356,000（法人税等）－ ¥170,000（仮払法人税等）＝ ¥186,000

4．未払法人税等の納付

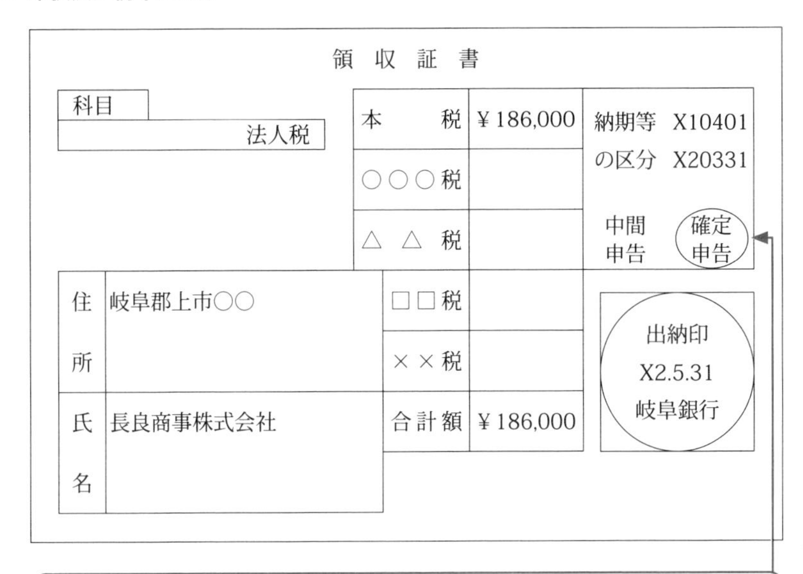

領　収　証　書

科目	
	法人税

税目	金額
本　　税	¥186,000
○○○税	
△　△　税	
□□税	
××税	
合計額	¥186,000

納期等の区分　X10401　X20331

中間申告　（確定申告）

住所	岐阜郡上市○○
氏名	長良商事株式会社

出納印
X2.5.31
岐阜銀行

「納期等の区分」の「確定申告」に○が付いているので未払法人税等の納付であると判断します。

4．の領収証書は未払法人税等を納付したときのものです。当期の法人税額ではないため注意しましょう。

23 問題 37　消費税

	借方科目	金額	貸方科目	金額
1	仕入	330,000	買掛金	363,000
	仮払消費税	33,000		
2	売掛金	638,000	売上	580,000
			仮受消費税	58,000
3	仮受消費税	58,000	仮払消費税	33,000
			未払消費税	25,000
4	未払消費税	25,000	現金	25,000

請求書から仕訳をする商品売買の問題は第５章で学習済みですが、本問では、消費税を考慮した場合、どのような仕訳をするかを問うています。

1．仮払消費税

	仮払消費税の処理				
税抜き→	（仕　　入）	×××	（買　掛　金）	×××	←税込み
消費税→	（仮払消費税）	×××			

2．仮受消費税

	仮受消費税の処理				
税込み→	（売　掛　金）	×××	（売　　上）	×××	←税抜き
			（仮受消費税）	×××	←消費税

3．決算時

決算時は、仮払消費税と仮受消費税を相殺し、差額を未払消費税で処理します。

4．納付時

納付時は、未払消費税を取り消す処理を行います。

1．の仕訳について請求書と一緒に確認しましょう。

請求書

省略

品物	数量	単価	金額
ダイヤモンドペンダント	5	¥ 30,000	¥150,000
トパーズリング	2	¥ 45,000	¥ 90,000
アメジストブローチ	6	¥ 15,000	¥ 90,000
	消費税		¥ 33,000
	合計		¥363,000

以下省略

税抜きの金額を仕入または売上とします。

24 問題38 現金過不足の処理

		借方科目	金額	貸方科目	金額
1	(1)	現金過不足	3,000	現金	3,000
	(2)	旅費交通費	3,000	現金過不足	3,000
2		現金過不足	140	現金	140
3	(1)	現金過不足	800	雑益	800
	(2)	雑損	600	現金過不足	600
4		通信費	1,800	現金	2,500
		雑損	700		

2．現金実際有高：¥70,000（紙幣）＋ ¥4,060（硬貨）＋ ¥7,000（他人振出小切手）＝ ¥81,060

4．**期末に現金過不足を把握した場合**

「現金過不足」勘定は使わずに、原因不明額は「雑損」または「雑益」で処理します。

問題 39　試算表の作成①

合計試算表
×8年10月31日

借方合計	勘定科目	貸方合計
16,000	現金	12,700
36,860	当座預金	30,400
39,700	受取手形	24,000
52,500	売掛金	42,900
11,200	繰越商品	
3,200	備品	
29,600	支払手形	39,500
44,800	買掛金	51,600
	資本金	20,000
	繰越利益剰余金	6,000
1,600	売上	57,100
46,300	仕入	800
1,560	給料	
480	支払家賃	
1,200	雑費	
285,000		285,000

1. 作成手順

本問では、合計試算表を作成します。作成手順は次のとおりです。

Step1　▷　取引の仕訳を行う
Step2　▷　Ｔフォーム（簡略化した勘定口座）に集計する
Step3　▷　Step2 の合計額を記入する

2. 取引の仕訳

まず資料Ⅱの取引を１つ１つ仕訳します。

25日　売上

（売　掛　金）　7,500　（売　　上）　7,500

仕入

（仕　　入）　4,800　（買　掛　金）　4,800

27日　売掛金の回収

（受取手形）	9,300	（売　掛　金）	9,300

28日　給料の支払い

（給　　料）	600	（現　　金）	600

現金の預入れ

（当座預金）	1,300	（現　　金）	1,300

29日　仕入

（仕　　入）	1,500	（買　掛　金）	1,200
		（支払手形）	300

30日　買掛金の支払い

（買　掛　金）	7,200	（支払手形）	7,200

手形の決済

（支払手形）	2,400	（当座預金）	2,400

雑費の支払い

（雑　　費）	400	（現　　金）	400

3．Tフォームの作成と記入

次にTフォームを作成し、次の手順で記入していきます。

> **(1) 資料Ⅰの合計試算表の合計額を転記します（ゴシック体の部分）**
> **(2) 上の仕訳を転記します（色付きのゴシック体の部分）**

売上

	1,600		49,600
		25	7,500

売掛金

	45,000		33,600
25	7,500	27	9,300

受取手形

	30,400		24,000
27	9,300		

仕入

	40,000		800
25	4,800		
29	1,500		

買掛金

	37,600		45,600
30	7,200	25	4,800
		29	1,200

支払手形

	27,200		32,000
30	2,400	29	300
		30	7,200

現			金
	16,000		10,400
		28	600
		〃	1,300
		30	400

当座		預金	
	35,560		28,000
28	1,300	30	2,400

上記８勘定に記入される取引以外は、その他に記入します。

その他			
28	給料	600	
30	雑費	400	

すべての勘定口座を設けるのではなく、上記の８つを作成するんだ。頻繁に記入が必要なものに限定するよ。

４．合計試算表への記入

上記の勘定口座の貸借それぞれの合計を算出し、■の部分を答案用紙に記入します。

売			上
	1,600		49,600
		25	7,500
	1,600		57,100

売	掛		金
	45,000		33,600
25	7,500	27	9,300
	52,500		42,900

受取		手形	
	30,400		24,000
27	9,300		
	39,700		24,000

仕			入
	40,000		800
25	4,800		
29	1,500		
	46,300		800

買	掛		金
	37,600		45,600
30	7,200	25	4,800
		29	1,200
	44,800		51,600

支払		手形	
	27,200		32,000
30	2,400	29	300
		30	7,200
	29,600		39,500

現			金
	16,000		10,400
		28	600
		〃	1,300
		30	400
	16,000		12,700

当座		預金	
	35,560		28,000
28	1,300	30	2,400
	36,860		30,400

上記以外の勘定科目は次のように計算していくよ。
給料：¥960 ＋ ¥600 ＝ ¥1,560
雑費：¥800 ＋ ¥400 ＝ ¥1,200
繰越商品、備品、資本金、繰越利益剰余金、支払家賃は、合計試算表上の金額をそのまま記入します。

○参　考○

同じ資料から作成する残高試算表は次のとおりです。

残　高　試　算　表

×8年10月31日

借　　方	勘　定　科　目	貸　　方
3,300	現　　　金	
6,460	当　座　預　金	
15,700	受　取　手　形	
9,600	売　掛　金	
11,200	繰　越　商　品	
3,200	備　　　品	
	支　払　手　形	9,900
	買　掛　金	6,800
	資　本　金	20,000
	繰越利益剰余金	6,000
	売　　　上	55,500
45,500	仕　　　入	
1,560	給　　　料	
480	支　払　家　賃	
1,200	雑　　　費	
98,200		98,200

残高は、借方合計から貸方合計（または貸方合計から借方合計）を差し引いて求めるよ。

売　　上

	借方		貸方
	1,600		49,600
		25	7,500
	1,600		57,100

売　掛　金

	借方		貸方
	45,000		33,600
25	7,500	27	9,300
	52,500		42,900

この部分の差額を記入します

問題 40　試算表の作成②

残 高 試 算 表
×8年10月31日

借方	勘定科目	貸方
6,600	現金	
12,920	当座預金	
31,400	受取手形	
19,200	売掛金	
22,400	繰越商品	
6,400	備品	
	支払手形	19,800
	買掛金	13,600
	資本金	40,000
	繰越利益剰余金	12,000
	売上	111,000
91,000	仕入	
3,120	給料	
960	支払家賃	
2,400	雑費	
196,400		196,400

解説

1．作成手順

本問では、残高試算表を作成します。作成手順は次のとおりです。

Step1　▷　取引の仕訳を行う
Step2　▷　Tフォーム（簡略化した勘定口座）に集計する
Step3　▷　Step2の合計額の貸借差額を記入する

2．取引の仕訳

まず資料Ⅱの取引を1つ1つ仕訳します。

(1)　現金に関する取引　　　重複する取引については□で示しています。

a　従業員への給料の支払い

借方科目	金額	貸方科目	金額
（給　料）	1,200	（現　金）	1,200

b　雑費の支払い

借方科目	金額	貸方科目	金額
（雑　費）	800	（現　金）	800

c　当座預金への預入れ

借方科目	金額	貸方科目	金額
（当座預金）	2,600	（現　金）	2,600

(2) 当座預金に関する取引

a 現金の預入れ

(当 座 預 金)	2,600	(現 金)	2,600

b 約束手形の期日支払い

(支 払 手 形)	4,800	(当 座 預 金)	4,800

(3) 仕入れに関する取引

a 掛仕入れ

(仕 入)	12,000	(買 掛 金)	12,000

b 約束手形の振出しによる仕入れ

(仕 入)	600	(支 払 手 形)	600

(4) 売上げに関する取引

a 掛売上げ

(売 掛 金)	15,000	(売 上)	15,000

(5) その他の取引

a 売掛金の約束手形による回収

(受 取 手 形)	18,600	(売 掛 金)	18,600

b 買掛金の約束手形による支払い

(買 掛 金)	14,400	(支 払 手 形)	14,400

3．Tフォームの記入と残高試算表への記入

貸借それぞれの合計を算出し、■部分の差額を答案用紙に記入します。

売上

	借方		貸方
	3,200		99,200
		(4)a	15,000
	3,200		114,200

売掛金

	借方		貸方
	90,000		67,200
(4)a	15,000	(5)a	18,600
	105,000		85,800

受取手形

	借方		貸方
	60,800		48,000
(5)a	18,600		
	79,400		48,000

仕入

	借方		貸方
	80,000		1,600
(3)a	12,000		
(3)b	600		
	92,600		1,600

買掛金

	借方		貸方
	75,200		91,200
(5)b	14,400	(3)a	12,000
	89,600		103,200

支払手形

	借方		貸方
	54,400		64,000
(2)b	4,800	(3)b	600
		(5)b	14,400
	59,200		79,000

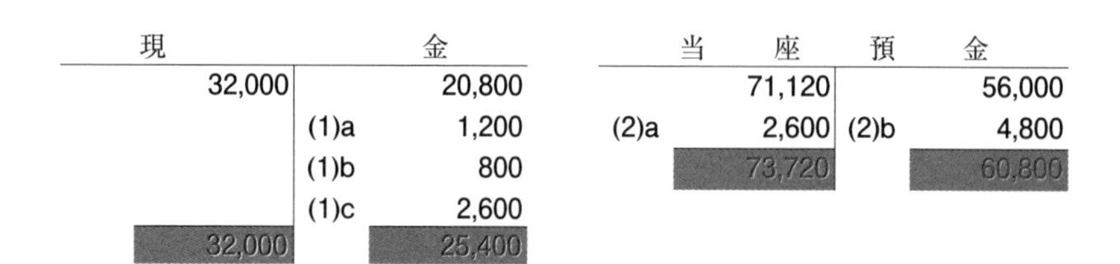

現		金	
	32,000		20,800
		(1)a	1,200
		(1)b	800
		(1)c	2,600
	32,000		25,400

当座		預金	
	71,120		56,000
(2)a	2,600	(2)b	4,800
	73,720		60,800

その他

(1) a	給　料	1,200
(1) b	雑　費	800

給料：¥1,920＋¥1,200＝¥3,120
雑費：¥1,600＋¥800＝¥2,400
繰越商品、備品、資本金、繰越利益剰余金、支払家賃は、合計試算表上の金額をそのまま記入します。

26 問題41　誤処理の訂正

	借方科目	金額	貸方科目	金額
1	売上	80,000	売掛金	80,000
2	売掛金	6,000	前受金	6,000
3	支払手形	27,000	買掛金	27,000

訂正仕訳を考えるには、下記の手順で考えましょう。

誤った仕訳	(借) 現金	80,000	(貸) 売上	80,000
①誤った仕訳の逆仕訳	(借) 売上	80,000	(貸) 現金	80,000
②正しい仕訳	(借) 現金	80,000	(貸) 売掛金	80,000
訂正仕訳(①+②)	(借) 売上	80,000	(貸) 売掛金	80,000

27 問題42　株式会社の設立

	借方科目	金額	貸方科目	金額
1	当座預金	4,000,000	資本金	4,000,000
2	支払家賃	105,000	普通預金	715,000
	支払手数料	400,000		
	差入保証金	210,000		

1．株式会社の設立

設　立　時	（　○　○　）	×××	（資本金）	×××

設立したときも、増資したときも同じ仕訳になるよ。

新事務所の賃借契約を行ったときは、契約のさいに家賃、不動産会社への手数料および敷金を払うのが一般的です。それぞれどの勘定科目を用いて処理するのかマスターしましょう。

2．家賃

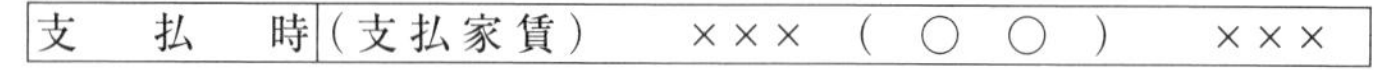

支　払　時	（支払家賃）	×××	（　○　○　）	×××

3．不動産会社への手数料

支　払　時	（支払手数料）	×××	（　○　○　）	×××

4．敷金

支　払　時	（差入保証金）	×××	（　○　○　）	×××

なお、本問を証ひょう形式の問題にすると、以下の通りとなります。

新事務所を賃借し、下記の振込依頼書どおりに当社の普通預金口座から振り込んだ。

振込依頼書

省略

ご契約ありがとうございます。以下の金額を下記口座へお振込ください。

内容	金額
初月賃料	¥105,000
仲介手数料	¥400,000
敷金	¥210,000
合計	¥715,000

○○銀行△△支店　普通　1464468　カ）☆☆☆☆☆☆☆

28 問題43 帳簿の締切り

	借方科目	金額	貸方科目	金額
1	売上	55,000	損益	56,100
	受取利息	1,100		
	損益	16,500	仕入	11,000
			支払家賃	5,500
2	損益	39,600	繰越利益剰余金	39,600

売上

借方	金額	貸方	金額
[損益]	(55,000)	諸口	55,000

受取利息

借方	金額	貸方	金額
[損益]	(1,100)	現金	1,100

仕入

借方	金額	貸方	金額
諸口	11,000	[損益]	(11,000)

支払家賃

借方	金額	貸方	金額
当座預金	5,500	[損益]	(5,500)

損益

借方	金額	貸方	金額
[仕入]	(11,000)	[売上]	(55,000)
[支払家賃]	(5,500)	[受取利息]	(1,100)
[繰越利益剰余金]	(39,600)		
	(56,100)		(56,100)

解説

Step 1：収益の勘定科目の残高を損益勘定の貸方に振り替える。

Step 2：費用の勘定科目の残高を損益勘定の借方に振り替える。

Step 3：損益勘定の残高を繰越利益剰余金勘定に振り替える。

損益勘定の貸方には収益の勘定科目（売上と受取利息）と金額が、借方には費用の勘定科目（仕入と支払家賃）と金額が記入された状態です。この損益勘定の残高（貸方収益－借方費用）が当期純利益または当期純損失を表し、これを繰越利益剰余金勘定に振り替えます。

29 問題 44 株主への配当

	借方科目	金額	貸方科目	金額
1	損益	300,000	繰越利益剰余金	300,000
2	繰越利益剰余金	220,000	未払配当金	200,000
			利益準備金	20,000

剰余金の処分

繰越利益剰余金（資本）を減らして、未払配当金（負債）が発生し、利益準備金（資本）を積み立てます。負債と資本のホームポジションがわかっていれば、数値は問題文に与えられますので、簡単に正答することができるでしょう。

30 問題 45 決算手続き

1	2	3
○	×	○

解説

2．決算の流れは大きく分けて「財務諸表の作成」と「帳簿の締切り」があります。

精算表は財務諸表の作成にあたり、決算のアウトラインを知るために作成されるものです。

31 問題 46 決算整理

(ア)	試算表	(イ)	利益	(ウ)	当期末残高
(エ)	精算表	(オ)	決算整理仕訳	(カ)	財務諸表

指定された語群から適切な語句を選択し、各文章を完成させる問題です。本試験では記号や番号で解答させる形式で出題されます。

32 問題 47 当座借越の処理

	借方科目	金額	貸方科目	金額
1	仕入	5,600	当座預金	5,600
2	当座預金	4,200	現金	4,200
3	買掛金	5,000	当座預金	5,000
4	支払手形	3,000	当座預金	3,000
5	当座預金	5,200	当座借越	5,200

	処理			
期中取引	(○○○)	×××	(当座預金)	×××
	(当座預金)	×××	(○○○)	×××
決算時	(当座預金)	×××	(当座借越)	×××

当座借越＝借入金のイメージで処理します。

当座預金

借方		貸方	
前期繰越	4,200	1 仕入	5,600
2 現金	4,200	3 買掛金	5,000
5 当座借越	5,200	4 支払手形	3,000

当座借越

借方		貸方	
		5 当座預金	5,200

第11章

33 問題 48　貸倒れの処理と貸倒引当金の設定

	借方科目	金額	貸方科目	金額
1	貸倒損失	2,000	売掛金	2,000
2	貸倒引当金	4,000	売掛金	5,000
	貸倒損失	1,000		
3	当座預金	6,000	償却債権取立益	6,000
4	貸倒引当金繰入	9,860	貸倒引当金	9,860
5	貸倒引当金	740	貸倒引当金戻入	740

貸倒れに関する処理では、貸倒引当金残高があってもそれを取り崩せるケースと取り崩せないケースがあるので、注意しましょう。

1．当期発生の売掛金なので、貸倒引当金を取り崩すことはできません。

2．前期発生の売掛金なので、貸倒引当金を取り崩します。ただし、この取引では、「**貸倒れとなった売掛金＞貸倒引当金残高**」なので、差額は「**貸倒損失**（費用）」とします。

3．前期貸倒債権の当期回収分は「**償却債権取立益**（収益）」とします。

4．差額補充法による貸倒引当金の設定

貸倒引当金設定額：¥ 613,000 ⊗ 2 ％ ＝ ¥ 12,260
当期繰入額：¥ 12,260 ⊖ 貸倒引当金期末残高¥2,400 ＝ ¥ 9,860

5．差額補充法による貸倒引当金の設定

貸倒引当金設定額：¥ 613,000 ⊗ 2 ％ ＝ ¥ 12,260
当期戻入額：貸倒引当金期末残高¥ 13,000 ⊖ ¥12,260 ＝ ¥ 740

34 問題 49　費用の前払い

	借方科目	金額	貸方科目	金額
1	前払地代	27,000	支払地代	27,000
2	前払利息	9,600	支払利息	9,600
3	前払保険料	54,000	保険料	54,000
4	前払家賃	100,000	支払家賃	100,000

解説

3.

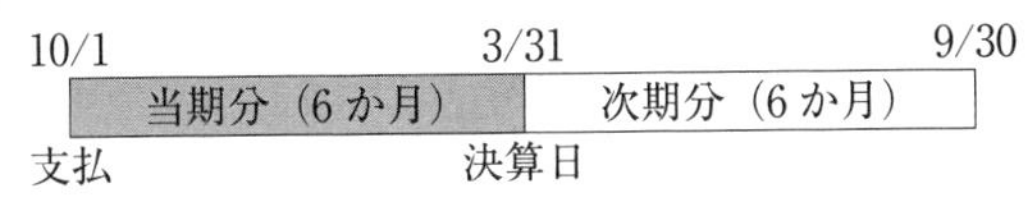

前払保険料：¥108,000 × 6か月 ÷ 12か月 ＝ ¥54,000

4.

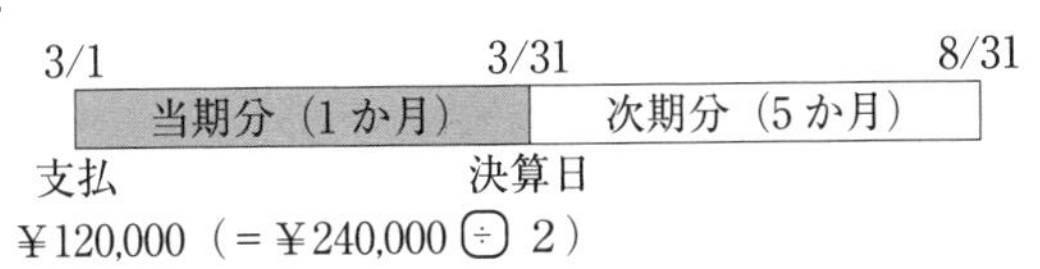

前払家賃：¥120,000 × 5か月 ÷ 6か月 ＝ ¥100,000

35 問題 50　収益の前受け

	借方科目	金額	貸方科目	金額
1	受取手数料	6,000	前受手数料	6,000
2	受取利息	4,500	前受利息	4,500
3	受取家賃	9,450	前受家賃	9,450
4	受取地代	7,000	前受地代	7,000

解説

3.

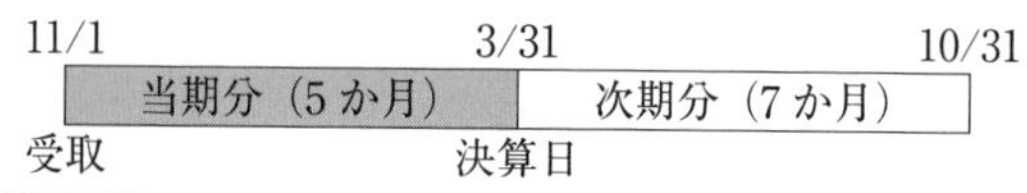

前受家賃：¥16,200 × 7か月 ÷ 12か月 = ¥9,450

4.

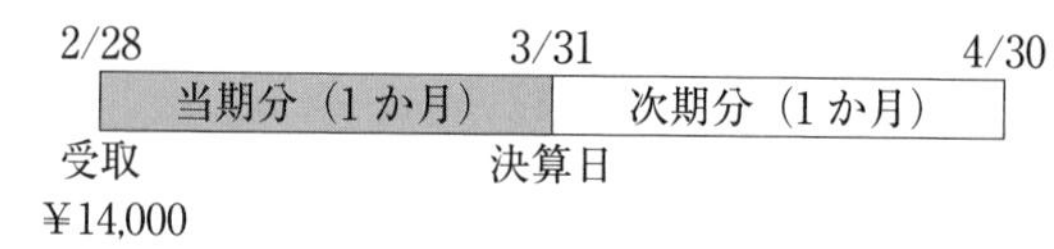

前受地代：¥14,000 × 1か月 ÷ 2か月 = ¥7,000

36 問題51　費用の未払い

	借 方 科 目	金　額	貸 方 科 目	金　額
1	支 払 地 代	14,000	未 払 地 代	14,000
2	法 定 福 利 費	8,000	未払法定福利費	8,000
3	支 払 利 息	1,500	未 払 利 息	1,500
4	支 払 家 賃	96,000	未 払 家 賃	96,000

解説

2．社会保険料のうち会社負担分は「法定福利費（費用）」として処理します。

3．

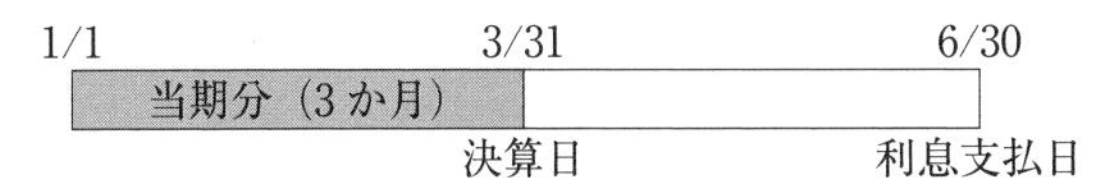

未 払 利 息：¥300,000 ⊗ 2％ ⊗ 3か月 ⊕ 12か月 ⊜ ¥1,500

37 問題 52　収益の未収

	借方科目	金額	貸方科目	金額
1	未収家賃	35,000	受取家賃	35,000
2	未収受取手数料	5,800	受取手数料	5,800
3	未収利息	2,950	受取利息	2,950
4	未収利息	2,800	受取利息	2,800

解説

3.

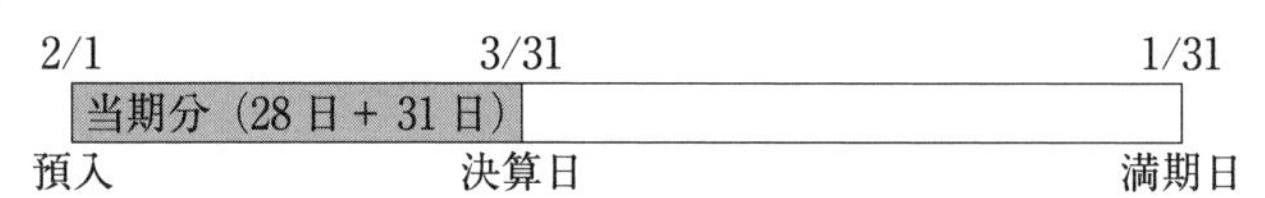

未収利息：¥912,500 × 2％ × 59日 ÷ 365日 ＝ ¥2,950

4.

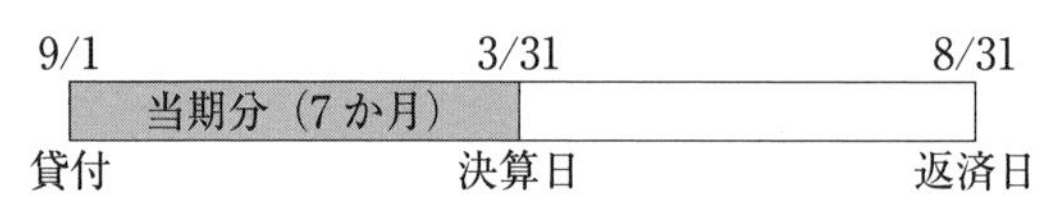

未収利息：¥160,000 × 3％ × 7か月 ÷ 12か月 ＝ ¥2,800

38 問題 53　再振替仕訳

	借方科目	金額	貸方科目	金額
1	保険料	54,000	前払保険料	54,000
2	前受家賃	9,450	受取家賃	9,450
3	未払利息	1,500	支払利息	1,500
4	受取利息	2,950	未収利息	2,950

再振替仕訳は、決算で行った費用・収益の仕訳を取り消すための仕訳で、この再振替仕訳により経過勘定口座の残高はゼロになります。

計算過程については、問題 49 ～ 52 の解答解説を参照してください。

39 問題 54 精算表の作成①

精　算　表

勘定科目	試算表		修正記入		損益計算書		貸借対照表	
	借方	貸方	借方	貸方	借方	貸方	借方	貸方
現金	41,800						41,800	
当座預金	102,300						102,300	
売掛金	88,000						88,000	
繰越商品	27,500		33,000	27,500			33,000	
建物	220,000						220,000	
貸付金	165,000						165,000	
買掛金		25,300						25,300
貸倒引当金		1,100		1,540				2,640
建物減価償却累計額		29,700		9,900				39,600
資本金		500,000						500,000
繰越利益剰余金		50,000						50,000
売上		352,000				352,000		
受取利息		9,900		3,300		13,200		
仕入	264,000		27,500	33,000	258,500			
給料	39,600				39,600			
支払家賃	19,800		6,600		26,400			
	968,000	968,000						
貸倒引当金繰入			1,540		1,540			
減価償却費			9,900		9,900			
未収利息			3,300				3,300	
未払家賃				6,600				6,600
当期純利益					29,260			29,260
			81,840	81,840	365,200	365,200	653,400	653,400

解説

決算整理前の残高に修正記入を加減した金額を「決算整理後残高」といい、この金額が損益計算書と貸借対照表に記載されます。

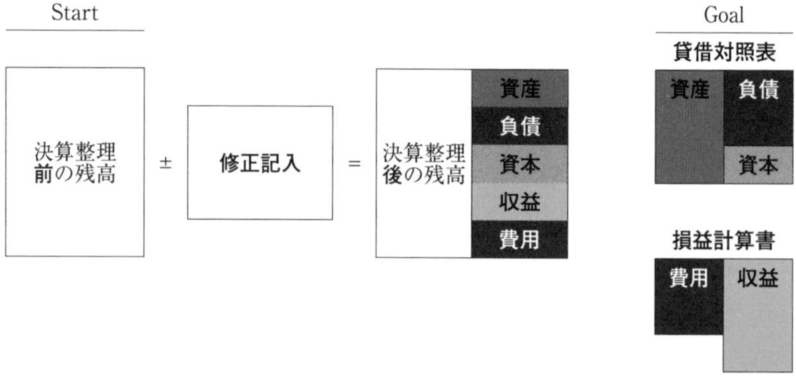

Start

決算整理前の残高 ± 修正記入 ＝ 決算整理後の残高

資産
負債
資本
収益
費用

Goal

貸借対照表

資産　負債
資本

損益計算書

費用　収益

問題 55　精算表の作成②

精　　算　　表

勘定科目	試算表		修正記入		損益計算書		貸借対照表	
	借方	貸方	借方	貸方	借方	貸方	借方	貸方
繰越商品	5,500		6,600	5,500			6,600	
建物減価償却累計額		7,700		3,300				11,000
仕入	132,000		5,500	6,600	130,900			
保険料	13,200			2,200	11,000			
	××	××						
(減価償却費)			3,300		3,300			
(前払保険料)			2,200				2,200	

勘定科目欄の（　　）は、決算で新たに必要となる勘定科目を記入します。代表的なものをあげると次のとおりです。

資産	負債	収益	費用
前払●●	未払●●	貸倒引当金戻入	貸倒引当金繰入
未収●●	前受●●	雑益	減価償却費
貯蔵品	当座借越		雑損

基本的にはこれくらい。問題を繰り返し解くことで自然に覚えられるよ。

また、精算表への記入では、次の流れを意識しましょう。

Step 1：1つの決算整理仕訳を修正記入欄に記入する。

建物について、￥3,300の減価償却費を計上する。

（借）減 価 償 却 費　3,300　（貸）建物減価償却累計額　3,300

精　算　表

勘定科目	試算表		修正記入		損益計算書		貸借対照表	
	借方	貸方	借方	貸方	借方	貸方	借方	貸方
建物減価償却累計額		7,700		3,300				
	××	××						
（減価償却費）			3,300					

Step 2：それに関連する勘定科目の修正後残高を計算し、そのまま損益計算書欄と貸借対照表欄に記入する。

精　算　表

勘定科目	試算表		修正記入		損益計算書		貸借対照表	
	借方	貸方	借方	貸方	借方	貸方	借方	貸方
建物減価償却累計額		7,700		⊕ 3,300 →				11,000
	××	××						
（減価償却費）			3,300 →		3,300			

修正記入欄を全部埋めて満足しちゃダメ！
時間切れで得点につながらないよ。
ヨコに解いていこう！

問題 56　精算表の作成③

精　算　表

勘定科目	試算表		修正記入		損益計算書		貸借対照表	
	借方	貸方	借方	貸方	借方	貸方	借方	貸方
現金	33,000						33,000	
当座預金	129,800						129,800	
売掛金	220,000						220,000	
繰越商品	27,500		35,200	27,500			35,200	
建物	495,000						495,000	
買掛金		51,150						51,150
貸倒引当金		1,650		2,750				4,400
建物減価償却累計額		29,700		14,850				44,550
借入金		110,000						110,000
資本金		500,000						500,000
繰越利益剰余金		50,000						50,000
売上		352,000				352,000		
仕入	154,000		27,500	35,200	146,300			
支払利息	2,200				2,200			
保険料	33,000			16,500	16,500			
	1,094,500	1,094,500						
貸倒引当金繰入			2,750		2,750			
減価償却費			14,850		14,850			
前払保険料			16,500				16,500	
当期純利益					169,400			169,400
			96,800	96,800	352,000	352,000	929,500	929,500

精算表の作成は、修正記入欄に記入するたびに関連項目の損益計算書欄、貸借対照表欄を埋めていきましょう。

1．（借）貸倒引当金繰入　2,750 *　（貸）貸倒引当金　2,750

　＊　¥220,000 ⊗ 2 % = ¥4,400（貸倒引当金設定額）
　　¥4,400 − ¥1,650 = ¥2,750（貸倒引当金繰入）

2．（借）仕入　27,500　（貸）繰越商品　27,500

　（借）繰越商品　35,200　（貸）仕入　35,200

3．（借）減価償却費　14,850 *　（貸）建物減価償却累計額　14,850

　＊　¥495,000 × 0.9 ÷ 30年 = ¥14,850

4．（借）前払保険料　16,500　（貸）保険料　16,500 *

　＊　¥33,000 × 6か月 ÷ 12か月 = ¥16,500

損益計算書

×7年4月1日から×8年3月31日まで

費用	金額	収益	金額
(売上原価)	(687,500)	(売上高)	(1,034,000)
給料	(147,400)		
広告宣伝費	(45,500)		
保険料	(9,460)		
貸倒引当金繰入	(4,660)		
減価償却費	(16,060)		
支払利息	(2,310)		
(当期純利益)	(121,110)		
	(1,034,000)		(1,034,000)

貸借対照表

×8年3月31日

資産	金額		負債及び純資産	金額
現金		(45,650)	支払手形	(49,720)
当座預金		(72,100)	買掛金	(50,600)
売掛金	(165,000)		未払費用	(330)
(貸倒引当金)	(8,250)	(156,750)	借入金	(88,000)
(商品)		(145,260)	資本金	(200,000)
(前払費用)		(1,100)	繰越利益剰余金	(196,110)
建物	(198,000)			
(減価償却累計額)	(34,100)	(163,900)		
		(584,760)		(584,760)

解説

資料にある「決算整理後残高試算表」は、「決算整理前残高試算表」の数字に「決算修正仕訳」を加減したものです。精算表の学習で、「決算整理前残高試算表」の数字に「決算修正仕訳」を加減して「損益計算書欄」、「貸借対照表欄」を埋めていたのを思い出してみてください。

また、仕訳に使用される決算整理後残高試算表上の勘定科目が、損益計算書や貸借対照表への記載では、変わるものがあります。代表的なものをあげると次のとおりです。

決算整理後残高試算表	損益計算書	貸借対照表
繰越商品		商品
前払保険料		前払費用
未収利息		未収収益
未払利息		未払費用
前受地代		前受収益
備品（建物・車両）減価償却累計額		減価償却累計額
売上	売上高	
備品（建物・車両）売却益	固定資産売却益	
仕入	売上原価	
備品（建物・車両）売却損	固定資産売却損	

※＿＿＿部分は問題によって変わります。

問題 58　損益計算書と貸借対照表の作成②

損益計算書

×7年4月1日から×8年3月31日まで

費用	金額	収益	金額
（売上原価）	（117,200）	（売上高）	（294,400）
給料	（38,000）		
広告宣伝費	（18,000）		
保険料	（13,200）		
貸倒引当金（繰入）	（3,120）		
（貸倒損失）	（680）		
（減価償却費）	（13,200）		
（租税公課）	（8,100）		
支払利息	（1,760）		
雑（損）	（360）		
（当期純利益）	（80,780）		
	（294,400）		（294,400）

貸借対照表

×8年3月31日

資産	金額		負債及び純資産	金額
現金		（28,680）	買掛金	（40,920）
当座預金		（79,840）	借入金	（88,000）
売掛金	（156,000）		資本金	（400,000）
（貸倒引当金）	（3,120）	（152,880）	繰越利益剰余金	（120,780）
（商品）		（28,000）		
（貯蔵品）		（3,900）		
（前払）費用		（13,200）		
建物	（396,000）			
（減価償却累計額）	（52,800）	（343,200）		
		（649,700）		（649,700）

1. 現金過不足の処理

(借) 雑　損	360 *	(貸) 現　金	360

＊　現金帳簿残高 ¥29,040 > 現金実際有高 ¥28,680 →不足¥360

2. 売掛金の貸倒れの処理

(借) 貸倒引当金	1,320	(貸) 売　掛　金	2,000
貸倒損失	680 *		

＊　¥2,000（売掛金）− ¥1,320（貸倒引当金）＝ ¥680

3. 貸倒引当金の設定

(借) 貸倒引当金繰入	3,120 *	(貸) 貸倒引当金	3,120

＊ 売掛金残高	¥158,000 − ¥2,000 (貸倒分)	＝ ¥ 156,000
貸倒引当金当期末設定額	¥156,000 × 2％	＝ ¥ 3,120
貸倒引当金期末残高	¥1,320 − ¥1,320 (取崩分)	＝ ¥ 0
貸倒引当金当期繰入額	¥3,120 − ¥0	＝ ¥ 3,120

4. 売上原価の算定

(借) 仕　入	22,000	(貸) 繰越商品	22,000
(借) 繰越商品	28,000	(貸) 仕　入	28,000

5. 減価償却費の計上

(借) 減価償却費	13,200 *	(貸) 建物減価償却累計額	13,200

＊　¥396,000 ÷ 30年 ＝ ¥13,200

6. 貯蔵品の計上

(借) 貯　蔵　品	3,900	(貸) 租税公課	3,900

7. 費用（保険料）の前払い

(借) 前払保険料	13,200 *	(貸) 保　険　料	13,200

＊　¥26,400 × 6か月 ÷ 12か月 ＝ ¥13,200

問題 59　損益計算書と貸借対照表の作成③

損　益　計　算　書

×2年4月1日から×3年3月31日まで

費　　用	金　　額	収　　益	金　　額
（売上原価）	（161,500）	（売上高）	（393,000）
給料	（60,000）		
通信費	（4,300）		
貸倒引当金（繰入）	（500）		
（減価償却費）	（7,200）		
支払利息	（1,000）		
法人税等	（47,550）		
（当期純利益）	（110,950）		
	（393,000）		（393,000）

貸　借　対　照　表

×3年3月31日

資　　産	金　　額		負債及び純資産	金　　額
現金		（96,710）	買掛金	（28,200）
普通預金		（74,000）	（未払）消費税	（22,500）
売掛金	（48,000）		（未払法人税等）	（47,550）
（貸倒引当金）	（960）	（47,040）	（未払）費用	（1,000）
（商品）		（31,500）	借入金	（60,000）
建物	（200,000）		資本金	（90,000）
（減価償却累計額）	（43,200）	（156,800）	繰越利益剰余金	（156,800）
		（406,050）		（406,050）

1．普通預金口座への預け入れ

(借) 普通預金	13,000	(貸) 現金	13,000

2．売上原価の算定

(借) 仕入	25,000	(貸) 繰越商品	25,000
(借) 繰越商品	31,500	(貸) 仕入	31,500

3．貸倒引当金の設定

(借) 貸倒引当金繰入	500 *	(貸) 貸倒引当金	500

＊ 貸倒引当金当期末設定額 ¥48,000 ⊗ 2％ ⊜ ¥ 960
　 貸倒引当金繰入 ¥960 ⊖ ¥460 ⊜ ¥ 500

4．減価償却費の計上

(借) 減価償却費	7,200 *	(貸) 建物減価償却累計額	7,200

＊ ¥200,000 ⊗ 0.9 ⊘ 25年 ⊜ ¥7,200

5．費用（支払利息）の未払い

(借) 支払利息	1,000	(貸) 未払利息	1,000 *

＊ ¥60,000 ⊗ 5％ ⊗ 4か月 ⊘ 12か月 ⊜ ¥1,000

6．消費税の処理

(借) 仮受消費税	39,300	(貸) 仮払消費税	16,800
		未払消費税	22,500 *

＊ 貸借差額

7．法人税等の処理

(借) 法人税等	47,550	(貸) 未払法人税等	47,550

問題60　損益計算書と貸借対照表の作成④

損益計算書
×5年4月1日から×6年3月31日まで

費用	金額	収益	金額
（**売上原価**）	（360,850）	（**売上高**）	（611,000）
給料	（126,200）	受取手数料	（7,550）
支払家賃	（54,000）		
貸倒引当金（**繰入**）	（700）		
（**減価償却費**）	（9,000）		
支払手数料	（2,700）		
法人税、住民税及び事業税	（19,530）		
（**当期純利益**）	（45,570）		
	（618,550）		（618,550）

貸借対照表
×6年3月31日

資産	金額		負債及び純資産	金額
現金		（73,750）	買掛金	（61,400）
当座預金		（86,300）	（**未払金**）	（30,000）
売掛金	（95,000）		（**未払法人税等**）	（19,530）
（**貸倒引当金**）	（1,900）	（93,100）	資本金	（150,000）
商品		（28,350）	繰越利益剰余金	（77,570）
（**前払費用**）		（9,000）		
備品	（45,000）			
（**減価償却累計額**）	（27,000）	（18,000）		
土地		（30,000）		
		（338,500）		（338,500）

解説

1．仮受金の処理

（借）	仮受金	7,200	（貸）売掛金	7,200

2．クレジット売上

（借）	クレジット売掛金	14,550 *2	（貸）売上	15,000
	支払手数料	450 *1		

＊1　¥15,000 ⊗ 3％ ⊜ ¥ 450
＊2　貸借差額

3．誤処理の修正

（借）	買掛金	30,000	（貸）未払金	30,000

誤った処理の貸借逆仕訳

（借）	買掛金	30,000	（貸）土地	30,000

正しい仕訳

（借）	土地	30,000	（貸）未払金	30,000

これらを合算・相殺したものが修正仕訳になります。

4．貸倒引当金の設定

（借）	貸倒引当金繰入	700 *	（貸）貸倒引当金	700

＊ 売掛金期末残高（クレジット売掛金含む）
¥55,650 ⊖ ¥7,200 ⊕ ¥32,000 ⊕ ¥14,550 ⊜ ¥ 95,000
貸倒引当金当期末設定額 ¥95,000 ⊗ 2％ ⊜ ¥ 1,900
貸倒引当金繰入 ¥1,900 ⊖ ¥1,200 ⊜ ¥ 700

5．売上原価の算定

（借）	仕入	29,200	（貸）繰越商品	29,200
（借）	繰越商品	28,350	（貸）仕入	28,350

6．減価償却費の計上

（借）	減価償却費	9,000 *	（貸）備品減価償却累計額	9,000

＊　¥45,000 ⊘ 5年 ⊜ ¥9,000

7．費用（支払家賃）の前払い

（借）前払家賃 9,000 *（貸）支払家賃 9,000

＊ ¥27,000 ⊗ 2か月 ÷ 6か月 ＝ ¥9,000

8．法人税等の処理

（借）法人税、住民税及び事業税 19,530 （貸）未払法人税等 19,530

41 問題61 月次決算の処理

	借方科目	金額	貸方科目	金額
1	減価償却費	2,000	備品減価償却累計額	2,000
2	減価償却費	800	備品減価償却累計額	800

1．月次決算を採用しているため、年間見積額の12分の1を当月分の減価償却費として計上します。

減価償却費：¥24,000 ÷ 12か月 ＝ ¥2,000

2．減価償却費の年間確定額と見積計上額との差額は決算月で調整します。

減価償却費：¥24,800 － ¥24,000 ＝ ¥800（不足）⇒借方に計上

42 問題62 仕訳帳・総勘定元帳

総勘定元帳

現　　金　　1

×6年		摘要	仕丁	借方	×6年		摘要	仕丁	貸方
4	1	資本金	1	100,000					
	20	売上	1	50,000					

売　掛　金　　4

×6年		摘要	仕丁	借方	×6年		摘要	仕丁	貸方
4	20	売上	1	30,000					

仕　　入　　15

×6年		摘要	仕丁	借方	×6年		摘要	仕丁	貸方
4	10	買掛金	1	50,000					

売　　上　　16

×6年		摘要	仕丁	借方	×6年		摘要	仕丁	貸方
					4	20	諸口	1	80,000

買　掛　金　　20

×6年		摘要	仕丁	借方	×6年		摘要	仕丁	貸方
					4	10	仕入	1	50,000

資　本　金　　25

×6年		摘要	仕丁	借方	×6年		摘要	仕丁	貸方
					4	1	現金	1	100,000

「仕訳帳」と「総勘定元帳」は主要簿と呼ばれます。主要簿には、企業で起こったすべての取引が記帳されることが特徴です。

主要簿に対して、補助簿と呼ばれる帳簿があります。これはある特定の取引や勘定について専門的に記帳する帳簿で、現金出納帳・当座預金出納帳などがあります。

43 問題63 当座預金出納帳

	借方科目	金額	貸方科目	金額
6/15	仕入	40,000	当座預金	40,000
6/20	当座預金	70,000	売掛金	70,000

解説

当座預金出納帳に記入された取引を、仕訳の形で推定する問題です。

6/15 ¥30,000の預金残高に対して、¥40,000の小切手が振り出されました。そのため、残高欄は¥10,000の貸方残高とします。

6/20 預入額は¥70,000ですが、¥10,000の貸方残高があるため、これを差し引いて¥60,000の借方残高とします。

問題64 小口現金出納帳

問1

	借方科目	金額	貸方科目	金額
12/1	小口現金	60,000	当座預金	60,000
12/5	旅費交通費	5,000	小口現金	50,000
	通信費	20,000		
	消耗品費	15,000		
	雑費	10,000		
12/8	小口現金	50,000	当座預金	50,000

問2

	借方科目	金額	貸方科目	金額
12/1	小口現金	60,000	当座預金	60,000
12/5	旅費交通費	5,000	当座預金	50,000
	通信費	20,000		
	消耗品費	15,000		
	雑費	10,000		
12/8	仕訳なし			

解説

問１　小口現金の週明け補給の場合

問題の小口現金出納帳では、次週繰越額が¥10,000となっていて、12/ 8に補給が行われています。つまり、支払報告と補給のタイミングが異なっています（下記①）。そのため、12/ 5には支払報告の仕訳のみを行い、12/ 8には補給の仕訳を行うことを読み取ってください（下記②）。

小口現金出納帳

受入	×3年		摘要	支払	内訳			
					旅費交通費	通信費	消耗品費	雑費
60,000	12	1	小切手					
		2	切手代	20,000		20,000		
		3	文房具代	15,000			15,000	
		4	茶菓代	10,000				10,000
		5	電車代	5,000	5,000			
			合計	50,000	5,000	20,000	15,000	10,000
		5	次週繰越	10,000	①			
60,000				60,000				
10,000	12	8	前週繰越					
50,000		〃	小切手	②				

問２　小口現金の当日補給

12/ 5の日付で¥50,000を補給しており（下記①）、次週繰越額が¥60,000（下記②）となっているため、支払報告と補給を同時に行っていることになります。そのため12/ 5には支払報告と補給の仕訳を行います。

小口現金出納帳

受入	×3年		摘要	支払	内訳			
					旅費交通費	通信費	消耗品費	雑費
60,000	12	1	小切手					
		2	切手代	20,000		20,000		
		3	文房具代	15,000			15,000	
		4	茶菓代	10,000				10,000
		5	電車代	5,000	5,000			
			合計	50,000	5,000	20,000	15,000	10,000
50,000		5	小切手	①				
		〃	次週繰越	60,000	②			
110,000				110,000				
60,000	12	8	前週繰越					

問題65 商品有高帳

問1 移動平均法

(1)

商品有高帳

メモリーカード8GB

×1年		摘要	受入			払出			残高		
			数量	単価	金額	数量	単価	金額	数量	単価	金額
5	1	前月繰越	30	420	12,600				30	420	12,600
	5	仕入	40	455	18,200				70	440*1	30,800
	15	売上				40	440	17,600	30	440	13,200
	20	仕入	30	520	15,600				60	480	28,800
	30	売上				20	480	9,600	40	480	19,200
	31	**次月繰越**				40	480	19,200			
			100		46,400	100		46,400			
6	1	前月繰越	40	480	19,200				40	480	19,200

＊1（¥12,600＋¥18,200）÷（30個＋40個）＝@¥440

(2)

当月売上高 ¥ 36,000

当月売上原価 ¥ 27,200

当月売上総利益 ¥ 8,800

問2 先入先出法

(1)

商品有高帳
メモリーカード8GB

×1年		摘要	受入			払出			残高		
			数量	単価	金額	数量	単価	金額	数量	単価	金額
5	1	前月繰越	30	420	12,600				30	420	12,600
	5	仕入	40	455	18,200				30	420	12,600
									40	455	18,200
	15	売上				30	420	12,600			
						10	455	4,550	30	455	13,650
	20	仕入	30	520	15,600				30	455	13,650
									30	520	15,600
	30	売上				20	455	9,100	10	455	4,550
									30	520	15,600
	31	**次月繰越**				10	455	4,550			
						30	520	15,600			
			100		46,400	100		46,400			
6	1	前月繰越	10	455	4,550				10	455	4,550
			30	520	15,600				30	520	15,600

(2)

当月売上高 ¥	36,000
当月売上原価 ¥	26,250
当月売上総利益 ¥	9,750

問1 移動平均法

商品有高帳は、商品種類ごとに作るよ。そのためこの場合はメモリーカード8GBのみ作成すればいいんだ。

1. 移動平均法による記入

① 前月繰越分を「受入欄」、「残高欄」に記入します。
② 移動平均法のため、平均単価を計算して記入します。
③ 次月繰越分を「払出欄」に記入し、翌月に繰り越すため、①と同様に記入します。

2．売上総利益の計算

売　　上　　高：@¥600 ×（40 個＋ 20 個）＝ ¥36,000

売 上 原 価：¥17,600 ＋ ¥9,600 ＝ ¥27,200

売上総利益：¥36,000 － ¥27,200 ＝ ¥8,800

売上原価は、商品有高帳の払出欄から計算できるよ。販売のために払い出された商品の原価なので、売上原価になるよ。

問2　先入先出法

商品有高帳は、商品種類ごとに作るというのは移動平均法の時と同じだよ。そのためこの場合はメモリーカード８GB のみ作成すればいいんだ。

1．先入先出法による記入

① **前月繰越分を「受入欄」、「残高欄」に記入します。**

② **先入先出法のため、単価が異なる場合は、分けて記入します。**

③ **次月繰越分を「払出欄」に記入し、翌月に繰り越すため、①と同様に記入します。**

2．売上総利益の計算

売　　上　　高：@¥600 ×（40 個＋ 20 個）＝ ¥36,000

売 上 原 価：¥12,600 ＋ ¥4,550 ＋ ¥9,100 ＝ ¥26,250

売上総利益：¥36,000 － ¥26,250 ＝ ¥9,750

45 問題 66　買掛金元帳

	借方科目	金額	貸方科目	金額
4/11	仕入	180,000	買掛金	180,000
4/18	買掛金	50,000	仕入	50,000
4/25	買掛金	200,000	支払手形	200,000

買掛金元帳の記入から取引を読み取ります。買掛金元帳は、買掛金の内訳明細ですから、仕訳では『(借) 買掛金××』か、『(貸) 買掛金××』となり、相手勘定科目が読み取れるかがポイントになります。

相手勘定科目を考えるには、摘要欄をしっかりと確認してね。

備　　品

日付			摘要	借方	日付			摘要	貸方
×3	4	1	(前期繰越)	(1,200,000)	×4	3	31	(次期繰越)	(1,620,000)
×3	10	1	当座預金	(420,000)					
				(1,620,000)					(1,620,000)

備品減価償却累計額

日付			摘要	借方	日付			摘要	貸方
×4	3	31	(次期繰越)	(670,000)	×3	4	1	(前期繰越)	(400,000)
					×4	3	31	(減価償却費)	(270,000)
				(670,000)					(670,000)

解説

資料に与えられた固定資産台帳の金額が勘定口座のどこに記入されるかを理解することが重要です。

固定資産台帳

×4年3月31日現在

取得年月日	用途	期末数量	耐用年数	期首（期中取得）取得原価	期首減価償却累計額	差引期首（期中取得）帳簿価額	当期減価償却費
備品							
×1年 4月1日	備品①	1	6年	1,200,000	400,000	800,000	200,000
×3年10月1日	備品②	1	3年	420,000	0	420,000	70,000

本問の固定資産台帳を見ると、備品②の取得年月日が×3年10月1日であるため、当期に取得した備品であることがわかります。

したがって、備品②は備品勘定、備品減価償却累計額勘定の前期繰越には影響しないため、備品勘定と備品減価償却累計額勘定の前期繰越には、それぞれ備品①の期首取得原価¥1,200,000と期首減価償却累計額¥400,000が記載されます。

また、備品勘定の増加は備品②を購入したことによる増加であるため、備品勘定の10月1日の金額は備品②の期首取得原価¥420,000が記載されます。

最後に、当期の減価償却費は、すでに固定資産台帳に記載されているため、そのまま備品減価償却累計額勘定に記入します。

問題68　帳簿のまとめ

総勘定元帳の期末残高

現金	(77,100)	売上	(25,200)
当座預金	(219,000)		
売掛金	(17,100)		
繰越商品	(28,300)		
仕入	(15,700)		

得意先元帳の期末残高

横浜商店	(8,100)
静岡商店	(9,000)

解説

(1) 商品仕入れ

(借)	仕入	11,000	(貸) 当座預金	11,000

(2) 商品仕入れ

(借)	仕入	21,000	(貸) 現金	21,000

(3) 商品売上げ

(借)	売掛金 横浜商店	16,200	(貸) 売上	16,200

(4) 商品売上げ

(借)	売掛金 静岡商店	9,000	(貸) 売上	9,000

(5) 売掛金の回収

(借)	現金	28,100	(貸) 売掛金 横浜商店	28,100

(6) 売掛金の回収

(借)	当座預金	30,000	(貸) 売掛金 静岡商店	30,000

(7) 売上原価の算定

(借)	仕入	12,000	(貸) 繰越商品	12,000
(借)	繰越商品	28,300	(貸) 仕入	28,300

横浜商店			
前期繰越	20,000	(5)	28,100
(3)	16,200	残　高	8,100

静岡商店			
前期繰越	30,000	(6)	30,000
(4)	9,000	残　高	9,000

現金：¥70,000 − ¥21,000 + ¥28,100 = ¥77,100

当座預金：¥200,000 − ¥11,000 + ¥30,000 = ¥219,000

売掛金：¥50,000 + ¥16,200 + ¥9,000 − ¥28,100 − ¥30,000 = ¥17,100

仕入：¥11,000 + ¥21,000 + ¥12,000 − ¥28,300 = ¥15,700

売上：¥16,200 + ¥9,000 = ¥25,200

問題69　補助簿の選択

取引＼補助簿	現金出納帳	当座預金出納帳	商品有高帳	売掛金元帳(得意先元帳)	買掛金元帳(仕入先元帳)	仕入帳	売上帳	固定資産台帳	該当なし
1			○	○			○		
2			○		○	○			
3		○						○	
4									○

補助簿の記入に関する問題です。商品有高帳は、仕訳からの関連付けがイメージしづらいので注意が必要です。

1. 売上帳 ← （売上）162,000　（売掛金）162,000 → 売掛金元帳
商品有高帳 ←

＊　商品の増減があるため、商品有高帳に記入します。

2. 仕入帳 ← （仕入）110,000　（買掛金）110,000 → 買掛金元帳
商品有高帳 ←

＊　商品の増減があるため、商品有高帳に記入します。

3. 固定資産台帳 ← （車両減価償却累計額）84,000　（車両運搬具）96,000 → 固定資産台帳
当座預金出納帳 ← （当座預金）13,500　（固定資産売却益）1,500

4. （旅費交通費）8,400　（現金過不足）9,000
（雑損）600

＊　該当する補助簿がないため、「該当なし」が正答になります。

47 問題 70　3伝票制

問1

入金伝票 ×8年4月15日	
科目	金額
売掛金	2,000

問2

振替伝票 ×7年9月20日			
借方科目	金額	貸方科目	金額
備品	8,000	**当座預金**	8,000

解説

問1

本来の取引の仕訳：

(借)	売掛金	8,000	(貸) 売上	10,000
	現金	2,000		

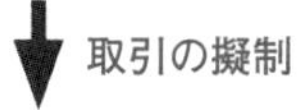

いったん、全額を掛けで販売し、

(借)	売掛金	10,000	(貸) 売上	10,000

すぐに掛代金の一部を受け取ったと考えます。

(借)	現金	2,000	(貸) 売掛金	2,000

取引を擬制することにより、「**掛けによる販売**」と「**掛け代金の回収**」の２つの取引が行われたように処理します。

問2

本来の取引の仕訳：

(借) 備品	10,000	(貸) 現金	2,000
		当座預金	8,000

↓ 取引の分解

(借) 備品	2,000	(貸) 現金	2,000
(借) 備品	8,000	(貸) 当座預金	8,000

取引を分解することにより、「**現金による備品の購入**」と「**小切手振り出しによる備品の購入**」の２つの取引が別個に行われたものして処理します。

問題71　仕訳日計表

仕訳日計表

×8年7月1日

借　方	元丁	勘定科目	元丁	貸　方
7,700		現　　　　金		4,200
5,000		当　座　預　金		
11,200		売　　掛　　金		2,100
		（**未収入金**）		5,000
20,000		備　　　　品		
1,400		買　　掛　　金		7,700
		未　　払　　金		20,000
		売　　　　上		16,800
10,500		仕　　　　入		
55,800				55,800

解説

仕訳日計表

×□年○月×日

借　方	元丁	勘定科目	元丁	貸　方
①	②	③	②	④

① 借　方　欄：勘定科目ごとに借方の合計金額を記入
② 元　丁　欄：総勘定元帳の該当する勘定口座のページ数を記入
③ 勘定科目欄：勘定科目を記入
④ 貸　方　欄：勘定科目ごとに貸方の合計金額を記入

1．伝票からの仕訳

伝票に記入された取引を仕訳します。

入金伝票

(借)	現　　　　金	5,600	(貸)	売　　　　上	5,600
(借)	現　　　　金	2,100	(貸)	売　掛　金	2,100

出金伝票

(借)	仕　　　　入	2,800	(貸)	現　　　　金	2,800
(借)	買　掛　金	1,400	(貸)	現　　　　金	1,400

振替伝票

(借)	売　掛　金	11,200	(貸)	売　　　　上	11,200
(借)	仕　　　　入	7,700	(貸)	買　掛　金	7,700
(借)	備　　　　品	20,000	(貸)	未　払　金	20,000
(借)	当 座 預 金	5,000	(貸)	未 収 入 金	5,000

2．Tフォームの作成と記入

次にTフォームを作成し、上の仕訳を転記します。

売　上

借方	貸方
	5,600
	11,200
	16,800

売　掛　金

借方	貸方
11,200	2,100

仕　入

借方	貸方
2,800	
7,700	
10,500	

買　掛　金

借方	貸方
1,400	7,700

現　金

借方	貸方
5,600	2,800
2,100	1,400
7,700	4,200

当　座　預　金

借方	貸方
5,000	

上記勘定に記入される取引以外は、その他に記入します。

そ　の　他

借方科目	金額	貸方科目	金額
備　　品	20,000	未　払　金	20,000
		未 収 入 金	5,000

問題 72　仕訳日計表から総勘定元帳への転記

(1)

仕　訳　日　計　表
×1年6月1日

借　　方	勘　定　科　目	貸　　方
7,000	現　　金	4,800
2,400	受　取　手　形	
8,000	売　掛　金	5,400
3,900	買　掛　金	5,300
	売　　上	12,000
5,300	仕　　入	
900	水　道　光　熱　費	
27,500		27,500

現　　金　（単位：円）

6/1	前 月 繰 越	7,800	6/1	仕 訳 日 計 表	（ 4,800 ）
〃	仕 訳 日 計 表	（ 7,000 ）			

※元丁欄と仕丁欄は省略している。

⑵　6月1日現在の横浜商店に対する売掛金残高

¥（　　9,900　）

1．問題を解くための準備

売掛金残高を計算するのは横浜商店のみです。他の商店に対する売掛金・買掛金は、個別に集計する必要はありません。

解答の流れ

①　伝票に記入された取引の内容を把握し、各勘定科目の借方（または貸方）の金額を集計します。このさい、横浜商店に関する伝票に着目し、5月31日の売掛金残高に加減して、6月1日の売掛金残高を計算します。

②　集計した金額を仕訳日計表に記入し、現金は現金勘定に転記します。

解き方

①の金額の集計方法には、主に3つの方法があります。自分に合った集計方法を身につけましょう。

- 仕訳を計算用紙に書き、仕訳から直接、金額を集計する
- 仕訳を計算用紙に書き、Tフォームに金額を転記して集計する
- 仕訳を頭の中で考え、Tフォームに金額を記入して集計する ←解説の解き方

2. 伝票に記入された取引の仕訳を考え、Tフォームに集計する

売上

		102	4,000
		301	8,000
㊎	0	㊎	12,000

売掛金

301	8,000	101	3,000
		302	2,400
㊎	8,000	㊎	5,400

受取手形

302	2,400		
㊎	2,400	㊎	0

横浜商店

5/31	4,900	101	3,000
301	8,000	6/1	9,900

仕入

303	5,300		
㊎	5,300	㊎	0

買掛金

201	2,300	303	5,300
202	1,600		
㊎	3,900	㊎	5,300

現金

101	3,000	201	2,300
102	4,000	202	1,600
		203	900
㊎	7,000	㊎	4,800

その他

203	水道光熱費	900	

3．伝票の仕訳を示すと、以下のとおりです

入金伝票

No.101

(現金)	3,000	(売掛金) 横浜商店	3,000

No.102

(現金)	4,000	(売上)	4,000

出金伝票

No.201

(買掛金)	2,300	(現金)	2,300

No.202

(買掛金)	1,600	(現金)	1,600

No.203

(水道光熱費)	900	(現金)	900

振替伝票

No.301

(売掛金) 横浜商店	8,000	(売上)	8,000

No.302

(受取手形)	2,400	(売掛金)	2,400

No.303

(仕入)	5,300	(買掛金)	5,300

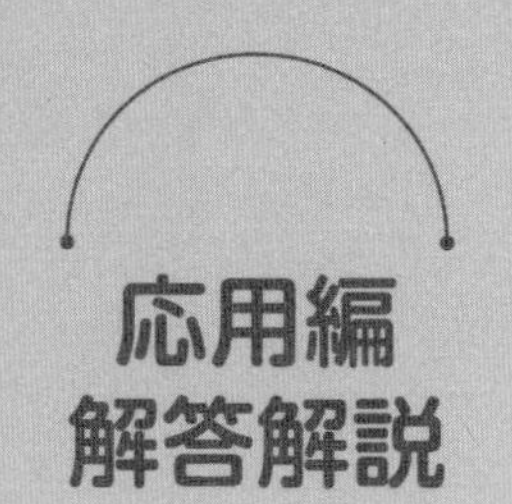

応用編
解答解説

第1問対策

第1問 1 仕訳問題

	借方科目		金額	貸方科目		金額
1	当座預金N銀行	ウ	400,000	現金	ア	800,000
	当座預金S信用金庫	エ	400,000			
2	損益	カ	270,000	仕入	エ	270,000
3	給料	オ	2,500,000	所得税預り金	ウ	185,000
				社会保険料預り金	エ	232,500
				普通預金	イ	2,082,500
4	差入保証金	イ	500,000	普通預金	ア	750,000
	支払手数料	オ	250,000			
5	クレジット売掛金	エ	209,000	売上	カ	240,000
	現金	ア	55,000	仮受消費税	オ	24,000

解説

1 当座預金口座の開設

当座預金の管理のために口座ごとに勘定を設定していることに注意しましょう。

2 損益勘定への振替え

帳簿上、損益勘定で当期の利益（または損失）を計算します。

費用の勘定は損益勘定の借方、収益の勘定は損益勘定の貸方へ振り替えます。

3 給料の支払い

預り金を差し引いた残額を「普通預金」で処理します。

普通預金：¥2,500,000（給料）－ ¥185,000（所得税預り金）－ ¥232,500（社会保険料預り金）＝ ¥2,082,500

4 不動産の賃借契約

敷金は「差入保証金」、不動産業者に対する仲介手数料は「支払手数料」で処理します。

5 クレジット売掛金

クレジットカードによる決済を受けた場合は、「クレジット売掛金」で処理します。

売上の金額は税抜きで処理します。

第1問 2 仕訳問題

	借方科目		金額	貸方科目		金額
1	当座預金	イ	58,000	当座借越	オ	58,000
2	受取商品券	エ	50,000	売上	オ	250,000
	現金	ア	200,000			
3	買掛金	オ	220,000	電子記録債務	エ	220,000
4	貯蔵品	ア	7,000	通信費	イ	7,000
5	消耗品費	オ	5,000	未払金	エ	155,000
	備品	ウ	150,000			

1 当座借越の処理

当座預金勘定の貸方残高を当座借越勘定に振り替えます。

2 受取商品券

信販会社や百貨店が発行している商品券を受け取ったときは「受取商品券」で処理します。

3 電子記録債務

買掛金の支払いを電子債権記録機関で行うときは、「買掛金」を「電子記録債務」に振り替えます。

4 期末の通信費の処理

決算日において未使用の切手は「貯蔵品」に振り替えます。

5 物品の購入

コピー用紙は「消耗品費」、ノートパソコンは「備品」で処理します。

第1問 3 仕訳問題

	借方科目		金額	貸方科目		金額
1	役員貸付金	ウ	2,000,000	当座預金	ア	2,000,000
2	クレジット売掛金	ア	582,000	売上	ウ	600,000
	支払手数料	カ	18,000			
3	法定福利費	カ	36,000	普通預金	イ	54,000
	社会保険料預り金	エ	18,000			
4	仮払法人税等	エ	1,500,000	現金	ア	1,500,000
5	旅費交通費	カ	30,000	普通預金	イ	30,000

1 役員貸付金

取締役等の役員に対する貸付けは「役員貸付金」として処理します。

「利息は元金とともに受け取る」となっているため、利息は取締役等からお金を返してもらったときに計上します。

2 クレジット売掛金

信販会社に対する手数料は「クレジット売掛金」から差し引きます。

支払手数料：¥600,000（販売代金）× 3％＝¥18,000

クレジット売掛金：¥600,000（販売代金）－¥18,000（手数料）＝¥582,000

3 社会保険料の処理

社会保険料のうち、会社負担分については「法定福利費」で処理します。従業員負担分について、源泉徴収制度を採用している場合、毎月の給料の支給時に「社会保険料預り金」で処理しているため、納付時にこれを取り崩します。

法定福利費：¥54,000 － ¥18,000（従業員負担分）＝ ¥36,000

社会保険料預り金：¥18,000（従業員負担分）

4 法人税等の処理

中間申告の場合、「仮払法人税等」で処理します。

仮払法人税等：¥840,000（法人税）＋ ¥420,000（事業税）＋ ¥240,000（住民税）＝ ¥1,500,000

5 旅費交通費の処理

出張旅費を立て替えて支払ったのは従業員なので注意しましょう。

第1問 4 仕訳問題

	借方科目		金額	貸方科目		金額
1	普通預金	イ	108,000	売掛金	ウ	90,000
				仮受金	カ	18,000
2	仕入	カ	943,800	買掛金	ウ	936,000
				現金	ア	7,800
3	繰越利益剰余金	カ	440,000	未払配当金	ウ	400,000
				利益準備金	オ	40,000
4	当座預金	ア	18,000	償却債権取立益	オ	18,000
5	備品	イ	6,720,000	仮払金	ウ	6,720,000

1 仮受金の処理

内容不明の入金があった場合には、「仮受金」で処理します。

仮受金：¥108,000（入金額）－ ¥90,000（売掛金回収額）＝ ¥18,000

2 仕入れ

販売目的であれば「仕入」で処理します。

引取運送費は、「仕入」に含めます。

仕入：¥936,000（購入代価）＋ ¥7,800（引取運送費）＝ ¥943,800

3 剰余金の配当

「繰越利益剰余金」を減らして、「未払配当金」と「利益準備金」を計上します。

4 償却済み債権の回収

前期に貸倒れとして処理していた債権の回収は、「償却債権取立益」で処理します。

5 固定資産の購入

セッティング作業費は付随費用であるため、備品の取得価額に含めます。

第1問 5 仕訳問題

	借方科目		金額	貸方科目		金額
1	普通預金	イ	9,000,000	資本金	エ	9,000,000
2	現金過不足	カ	21,000	受取手数料	ア	28,000
	旅費交通費	エ	8,400	雑益	イ	1,400
3	売上	オ	56,000	売掛金	ウ	56,000
4	当座預金	ア	2,940,000	手形借入金	エ	3,000,000
	支払利息	オ	60,000			
5	売掛金	ウ	180,000	売上	オ	180,000

1 株式の発行（増資時）

株式発行に伴う払込金は「資本金」で処理します。

資本金：￥60,000 ⊗ 150株 ⊜ ￥9,000,000

2 現金過不足

「帳簿残高＜実際有高」なので、現金を借方、現金過不足を貸方に計上しています。なお、決算整理仕訳において、貸借差額を貸方に計上する場合、「雑益」で処理します。

3 誤処理の訂正

誤った仕訳の貸借逆仕訳（②）と正しい仕訳（③）を合算・相殺し、訂正仕訳を導きます。

①誤った仕訳

（普通預金）	56,000	（売上）	56,000

②誤った仕訳の貸借逆仕訳

(売　　　上)	56,000	(普通預金)	56,000

③正しい仕訳

(普通預金)	56,000	(売　掛　金)	56,000

4 手形借入金

手形の振出しによる借入れは「手形借入金」で処理します。

5 伝票の起票

入金伝票に、科目「売掛金」と記入されていることから、「全額を掛取引として起票する方法」を採用していると判断します。

第1問 6 仕訳問題

	借方科目		金額	貸方科目		金額
1	繰越利益剰余金	ウ	480,000	損　　　益	エ	480,000
2	建　　　物	ウ	4,300,000	普通預金	イ	5,200,000
	修　繕　費	オ	900,000			
3	備品減価償却累計額	エ	743,750	備　　　品	イ	850,000
	未収入金	ア	81,000			
	固定資産売却損	カ	25,250			
4	仮受消費税	イ	96,000	仮払消費税	ア	62,400
				未払消費税	ウ	33,600
5	仕　　　入	カ	55,000	買　掛　金	エ	55,000

解説

1 損益勘定から繰越利益剰余金勘定への振替え

「収益総額<費用総額」の場合、当期純損失となるので、損益勘定は借方残高となります。

損益：¥1,920,000 ㊀ ¥2,400,000 ㊁ △¥480,000

2 資本的支出・収益的支出

資本的支出は取得原価の増加として、収益的支出は費用として処理します。

3 固定資産の売却

売却価額と帳簿価額（＝取得原価－減価償却累計額）との差額を固定資産売却損益とします。本問では、「売却価額＜帳簿価額」のため、売却損となります。

帳簿価額：¥850,000 ⊖ ¥743,750 ⊜ ¥106,250

売却損益：¥81,000 ⊖ ¥106,250 ⊜ △¥25,250
売却価額

4 消費税の処理

仮受消費税と仮払消費税の差額を「未払消費税」として計上します。

5 伝票の起票

出金伝票に、科目「仕入」と記入されていることから、「取引を分解して起票する方法」を採用していると判断します。

コラム　メッセージ

学生の方へ

高校生や大学生の方は、高校や大学といった小さな世界に住んでいます。そしていずれは社会という大きな世界に出て行くことになります。

学校の大きさを 10、社会を 100 とすると、学生の時代の 1 の差が、社会に入るとその 10 倍の差になって現れます。それを社会人になってから取り返すのは大変なことです。

今のうちに学んで試験に合格し、まわりと 1 の差を付けておく努力をしましょう。

シングルマザーの方へ

将来のためとはいえ、ただでさえ不自由な思いをさせている子供に、さらに負担をかけて勉強していることを気に病んでおられるのではないでしょうか。

でも子供は、学んでいるお母さんの背中から「大人になってからも学ぶ」ということの大切さを胸に刻んでいるものです。

シングルマザーの方々、頑張りましょうね。

今は、ひとの２倍つらくても、成果もまた「自分の合格」と「子供の成長」という２倍で還ってきますから。必ず。それを信じて、いまを乗り越えましょう。

第②問(1)対策

2問(1) 1 勘定記入

(ア)	5,250,000	(イ)	412,500	(ウ)	7,800,000
(エ)	6,000,000	(オ)	457,500		

損　益

日付	摘要	金額	日付	摘要	金額
3/31	仕入	(5,250,000)	3/31	売上	(7,500,000)
	給料	1,800,000		受取手数料	300,000
	貸倒引当金繰入	7,500			
	減価償却費	150,000			
	水道光熱費	180,000			
	(繰越利益剰余金)	(412,500)			
		(7,800,000)			(7,800,000)

資　本　金

日付	摘要	金額	日付	摘要	金額
3/31	次期繰越	(6,000,000)	4/1	前期繰越	6,000,000

繰越利益剰余金

日付	摘要	金額	日付	摘要	金額
3/31	次期繰越	(457,500)	4/1	前期繰越	45,000
				(損益)	(412,500)
		(457,500)			(457,500)

損益勘定

売上：純売上高 7,500,000

仕入：¥600,000（期首商品棚卸高）＋¥5,400,000（仕入勘定残高）－¥750,000（期末商品棚卸高）＝¥5,250,000

＊ 損益勘定の仕入は売上原価をあらわします。

繰越利益剰余金：貸借差額

資本金勘定

次期繰越：資本金に変動はないため、貸方￥6,000,000がそのまま次期繰越になります。

繰越利益剰余金勘定

損益：損益勘定の貸借差額を振り替えます。

次期繰越：貸方合計

2問(1) 2 勘定記入

(ア)	売掛金	(イ)	805,000	(ウ)	諸口
(エ)	30,000	(オ)	次月繰越		

当座預金

日付	摘要	金額	日付	摘要	金額
11/1	前月繰越	2,236,800	11/9	備品	160,000
11/22	(売掛金)	(300,000)	11/20	(諸口)	(805,000)
			(21)	(諸口)	(150,400)
			(25)	(支払手形)	(30,000)
			30	(次月繰越)	(?)
		(?)			(?)

解説

当座勘定照合表では、出金したときが左側で入金したときが右側になります。簿記の当座預金（資産）のホームポジションとは左右が逆になりますので注意しましょう。

まず、当座預金が増えたのか、減ったのかを最初に確認するとよいでしょう。

20日　融資の返済

融資とは、お金を借りることです。つまり、「融資ご返済」は、借入金の返済を表します。

「融資お利息」は、借入金の利息の支払いを表します。

（借　　入　　金）	800,000	（当　座　預　金）	805,000
（支　払　利　息）	5,000		

＊　相手勘定が複数のため、科目欄に「諸口」と記入します。

21日　買掛金の支払い

「京都商店」に対する「お支払金額」とあるので、買掛金の支払いであることがわかります。振込手数料の支払いを忘れないようにしましょう。

（買　　掛　　金）	150,000	（当　座　預　金）	150,400
（支　払　手　数　料）	400		

＊　相手勘定が複数のため、科目欄に「諸口」と記入します。

22日　売掛金の振り込み

「兵庫商店」からの「お預り金額」とあるので、売掛金の回収であることがわかります。

（当　座　預　金）	300,000	（売　　掛　　金）	300,000

25日　手形代金の引き落とし

「手形引落」、「お支払金額」なので、支払手形代金の支払いであることがわかります。

小切手については、問題文に「小切手（No.110）は11月19日以前に振り出したものである。」との記載があります。小切手は振り出した時に仕訳をするので、25日には仕訳をしません。

（支　払　手　形）	30,000	（当　座　預　金）	30,000

2問(1)　3　固定資産台帳

（ア）	4,820,000	（イ）	3,000,000	（ウ）	1,312,500
（エ）	1,170,000	（A）	減価償却費		

勘定記入は多くの受験生が苦手とする論点です。しかしながら、固定資産台帳には解答に必要な数値がほぼ記載されているので、見た目より解きやすい問題です。

固　定　資　産　台　帳

×５年３月31日現在

取得年月日	用途	期末数量	耐用年数	期首(期中取得)取得原価	期首減価償却累計額	差引期首(期中取得)帳簿価額	当期減価償却費
備品							
×1年4月1日	備品a	1	8年	① 3,200,000	③ 1,200,000	2,000,000	400,000
×3年11月1日	備品b	2	6年	① 1,620,000	③ 112,500	1,507,500	270,000
×4年6月1日	備品c	3	5年	② 3,000,000	0	3,000,000	500,000
小　計				7,820,000	1,312,500	6,507,500	④ 1,170,000

備　　　　　品

日		付	摘要	借　方	日		付	摘要	貸　方
×4	4	1	前期繰越	① 4,820,000	×5	3	31	次期繰越	7,820,000
	6	1	当座預金	② 3,000,000					
				7,820,000					7,820,000

備品減価償却累計額

日		付	摘要	借　方	日		付	摘要	貸　方
×5	3	31	次期繰越	2,482,500	×4	4	1	前期繰越	③ 1,312,500
					×5	3	31	減価償却費	④ 1,170,000
				2,482,500					2,482,500

① ×５年３月31日現在の固定資産台帳となるため、×４年４月１日より前に取得した、備品ａと備品ｂの取得原価が、備品勘定の前期繰越に記載されます。

② 備品ｃは、取得年月日から当期に取得した備品であるため、備品勘定の６月１日の借方に記載されます。

③ ×５年３月31日現在の固定資産台帳となるため、×４年４月１日より前に取得した、備品ａと備品ｂの減価償却累計額が、備品減価償却累計額勘定の前期繰越に記載されます。

④ 備品ａ、備品ｂ、備品ｃの当期の減価償却費が備品減価償却累計額勘定に集計されます。

2問(1) 4 # 商品有高帳

商品有高帳

移動平均法　　　　　　　　　A　品

×8年		摘要	受入			払出			残高		
			数量	単価	金額	数量	単価	金額	数量	単価	金額
1	1	前月繰越	10	100	1,000				10	100	1,000
	7	仕入れ	20	115	2,300				30	110	3,300
	15	売上げ				20	110	2,200	10	110	1,100
	21	仕入れ	15	120	1,800				25	116	2,900
	23	仕入戻し				5	120	600	20	115	2,300
	27	売上げ				15	115	1,725	5	115	575
	31	次月繰越				5	115	575			
			45		5,100	45		5,100			

商品有高帳は、受入欄も払出欄も原価で記入します。今回は移動平均法による記帳ですので、単価の異なる商品を仕入れたつど、平均単価を求めます。

移動平均法による商品有高帳の記入

1月7日 受入欄 20個×@¥115 = ¥2,300
　　　　残高欄 30個×@¥110* = ¥3,300
　　　　　　　*平均単価　(¥1,000 + ¥2,300) ÷ (10個 + 20個) = @¥110
　15日 摘要欄 売上げ
　　　　払出欄 20個×@¥110 = 2,200
　　　　残高欄 10個×@¥110 = 1,100
　21日 摘要欄 仕入れ
　　　　受入欄 15個×@¥120 = 1,800
　　　　残高欄 25個×@¥116* = 2,900
　　　　　　　*平均単価　(¥1,100 + ¥1,800) ÷ (10個 + 15個) = @¥116
　23日 摘要欄 仕入戻し
　　　　払出欄 5個×@¥120 = ¥600
　　　　残高欄 20個×@¥115* = ¥2,300
　　　　　　　*平均単価　(¥2,900 − ¥600) ÷ (25個 − 5個) = @¥115
　27日 摘要欄 売上げ
　　　　払出欄 15個×@¥115 = ¥1,725
　　　　残高欄 5個×@¥115 = ¥575
　31日 摘要欄 次月繰越
　　　　払出欄 5個×@¥115 = ¥575

第2問(2)対策

2問(2) 1 補助簿の選択

日付		当座預金出納帳	商品有高帳	売掛金元帳(得意先元帳)	買掛金元帳(仕入先元帳)	仕入帳	売上帳	受取手形記入帳	支払手形記入帳	固定資産台帳
4	5		○		○	○				
	12		○	○			○	○		
	20				○				○	
	25	○								○
	30		○	○			○			

(注) 上記○の箇所以外に記入がある行は不正解とする。

補助簿の記入に関する問題です。商品有高帳は、仕訳からの関連付けがイメージしづらいので注意しましょう。

Step 1 取引の仕訳から、記入する補助簿を考える

5日 仕入帳 ← (仕　入) 360,000 (買掛金) 360,000 → 買掛金元帳
商品有高帳 ←

＊ 商品の増減があるため、商品有高帳に記入します。

12日 受取手形記入帳 ← (受取手形) 180,000 (売　上) 337,500 → 売上帳
売掛金元帳 ← (売掛金) 157,500 → 商品有高帳

＊ 商品の増減があるため、商品有高帳に記入します。

20日 買掛金元帳 ← (買掛金) 270,000 (支払手形) 270,000 → 支払手形記入帳

25日 固定資産台帳 ← (建　物) 6,000,000 (仮払金) 7,000,000
〃 ← (土　地) 8,000,000 (当座預金) 7,000,000 → 当座預金出納帳

30日 売上帳 ← (売　上) 19,500 (売掛金) 19,500 → 売掛金元帳
商品有高帳 ←

＊ 商品の増減があるため、商品有高帳に記入します。

2 語群選択

(ア)	法定福利費	(イ)	てん末	(ウ)	試算表
(エ)	補助元帳				

解説

指定された語群から適切な語句を選択し、各文章を完成させる問題です。

1．社会保険料の会社負担額

健康保険料および厚生年金保険料の会社負担額は、(ア **法定福利費**) 勘定で処理する。

会社負担分：法定福利費で処理します。

(法定福利費)	×××	(現金等)	×××

従業員負担分：給料から差し引いている場合は社会保険料預り金で処理します。
会社があらかじめ立て替えている場合は立替金で処理します。

(社会保険料預り金)	×××	(現金等)	×××

(立替金)	×××	(現金等)	×××

2．支払手形記入帳

当社が振り出した約束手形について、支払期日に決済した場合、このことを支払手形記入帳の (イ **てん末**) 欄に記入する。

支払手形記入帳のてん末欄には、手形の消滅原因を記入します。

支払手形記入帳

×8年		摘要	金額	手形種類	手形番号	受取人	振出人	振出日		満期日		支払場所	てん末		
													月	日	摘要
4	7	買掛金	100,000	約手	9	東京商店	当社	4	7	7	31	青山銀行	7	31	当座預金で支払

3．試算表

> 貸借平均の原理にもとづき、総勘定元帳への転記が正しく行われたかどうかを確認するため、もしくは期末の決算手続きを円滑に行うために作成する表を（ ウ **試算表** ）という。

試算表の借方合計と貸方合計が一致しない場合、仕訳帳から総勘定元帳への転記ミスがあることになります。

4．得意先元帳

> 得意先元帳とは、得意先ごとの売掛金の増減を記録する（ エ **補助元帳** ）である。

得意先元帳の各得意先の売掛金残高の合計と、総勘定元帳の売掛金勘定の残高は一致します。

2問(2) 3 語群選択

(ア)	評　価	(イ)	収益的	(ウ)	原　価
(エ)	普通為替証書				

解説

1．評価勘定

> 貸倒引当金は、売掛金から差し引く形で貸借対照表に表示する。これは、貸倒引当金勘定が売掛金勘定の（ ア **評価** ）勘定であるからである。

貸借対照表上、売掛金から貸倒引当金を差し引く形で表示することにより、期末における売掛金の回収可能価額が分かります。

2．資本的支出

> 取得後の固定資産について生じた支出のうち、修繕など固定資産の機能を維持するための支出を（ イ **収益的** ）支出という。

固定資産の価値を高める支出→資本的支出
固定資産の機能を維持するための支出→収益的支出

3．商品有高帳

販売した商品の返品があった場合、商品有高帳の受入欄の単価は（ ウ **原価** ）で記入する。

商品有高帳の単価は受入欄、払出欄ともにすべて原価で記入します。

4．通貨代用証券

送金小切手、（ エ **普通為替証書** ）、配当金領収証などの通貨代用証券は現金勘定で処理する。

現金勘定で処理する通貨代用証券には次のようなものがあります。
・他人振出小切手　・送金小切手　・普通為替証書　・定額小為替証書
・配当金領領収証

2問(2) 4 語群選択

(ア)	消耗品費	(イ)	証ひょう	(ウ)	財産法
(エ)	繰越利益剰余金				

1．事務用品にかかる運送料

コピー用紙や文房具などの消耗品を購入したさいにかかる運送料（当社負担）は（ ア **消耗品費** ）勘定で処理する。

コピー用紙などの消耗品を購入した場合、消耗品費として処理しますが、そのさいにかかった運送料（当社負担）についても、消耗品費に含めます。

2．証ひょう

請求書や領収書などのように、帳簿に記入する上での基礎資料となるものを（ イ **証ひょう** ）という。

3．財産法

期末の資本（純資産）から期首の資本を差し引いて、一会計期間の当期純利益または当期純損失を計算する方法を（ ウ **財産法** ）という。

一会計期間の損益を計算する方法には、「収益－費用」で計算する損益法と「期末資本－期首資本」で計算する財産法の２つの計算方法があります。

4．決算整理後残高が借方にも貸方にも生じる科目

（ エ **繰越利益剰余金** ）勘定は、決算整理後の期末残高が借方にも、貸方にも生じる勘定科目である。

決算整理前の繰越利益剰余金（貸方残高）を超える当期純損失が生じた場合、決算整理後の期末残高は借方残高となります。

5 伝票会計

(ア)	買掛金	(イ)	20,000	(ウ)	仕入
(エ)	買掛金	(オ)	80,000	(カ)	150,000
(キ)	売上	(ク)	150,000		

Step 1 取引の仕訳を考え、伝票に記入する

(1) 振替伝票の借方および貸方の金額が¥120,000と記入されているため、**いったん全額を掛取引として起票する方法**を採用していると判断します。

①掛仕入（振替伝票に記入）

(仕入)	120,000	(買掛金)	120,000

②買掛金の支払い（出金伝票に記入）

(買掛金)	20,000	(現金)	20,000

振替伝票

借方科目	金額	貸方科目	金額
ウ 仕入	120,000	エ 買掛金	120,000

出金伝票

科目	金額
ア 買掛金	イ 20,000

(2) 入金伝票の相手勘定科目が「売上」と記入されているため、**取引を分解して起票する方法**を用いていると判断します。

①現金による売上げ（入金伝票に記入）

(現金)	80,000	(売上)	80,000

②掛けによる売上げ（振替伝票に記入）

(売掛金)	150,000	(売上)	150,000

入金伝票

科目	金額
売上	オ 80,000

振替伝票

借方科目	金額	貸方科目	金額
売掛金	カ 150,000	キ 売上	ク 150,000

2問(2) 6

入出金明細

7.16	普通預金	250,000	現金	250,000
7.17	買掛金	400,000	普通預金	400,000
7.18	普通預金	650,000	売掛金	651,000
	支払手数料	1,000		
7.20	給料	845,000	所得税預り金	60,000
	支払手数料	500	普通預金	785,500

入出金明細の各日付の仕訳を行います。入出金明細では、出金したときが左側で入金したときが右側になります。簿記の普通預金（資産）のホームポジションとは左右が逆になりますので注意しましょう。

7.16　ATM入金

ATM入金は、現金を普通預金口座に入金したことを意味します。

7.17　振込　シマネシヨウジ（カ

「島根商事株式会社」に対する「出金金額」なので、買掛金の支払いです。問題文の「島根商事株式会社および三重商事株式会社はそれぞれ当社の商品の取引先であり…」という文言をよく確認しましょう。

7.18　振込　ミエシヨウジ（カ

「三重商事株式会社」からの「入金金額」なので、売掛金の回収です

問題文に「7月18日の入金は、当社負担の振込手数料¥1,000が差し引かれたものである。」とあるので、回収した売掛金は入金額¥650,000と振込手数料¥1,000を足した¥651,000となります。

7.20　給与振込

入出金明細に記載されている出金金額¥785,000はあくまで普通預金からの支払額で、給与総額ではありません。給与総額は出金金額¥785,000と源泉所得税¥60,000を合算した¥845,000となります。

給与支給時の仕訳を復習しておきましょう。

省略とメモリー機能で電卓上手

スピードアップのための電卓術（ワザ）

電卓の上手な使い方をマスターすればスピードアップが図れ、得点力がアップします。
電卓を使いこなすテクニックを修得しましょう。

メモリー機能を使いこなそう

「計算途中の結果を紙にメモした」経験がありませんか。でも電卓が覚えてくれるなら、その方が楽ですね。

紙に書く代わりに電卓に覚えさせるメモリー機能を使ってスピードアップを図りましょう。

メモリー機能は次の４つのキーで操作します。

キー	呼び方	機能
M＋	メモリープラス	画面の数字を電卓のメモリーに加算し（足し込み）ます。
M－	メモリーマイナス	画面の数字を電卓のメモリーから減算し（引き）ます。
RM または MR	リコールメモリー	メモリーに入っている数字を画面に表示します。
CM または MC	クリアメモリー	メモリーに入っている数字をクリア（ゼロ）にします。

メモリー機能の練習

練習問題

100円の商品を３個と200円の商品を５個購入しました。総額でいくらでしょうか。

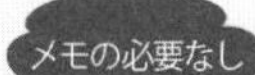

操作	電卓の表示	機能	メモリーの値
CA または AC と MC	0	計算結果やメモリーを全てクリアします。	0
1 00 × 3 M＋	300	メモリーに300を加算します。	300
2 00 × 5 M＋	1,000	メモリーに1,000を加算します。	1,300
RM または MR	1,300	メモリーに入っている数字を表示します。	1,300

第3問対策

第3問 1 精算表1

精算表

勘定科目	残高試算表		修正記入		損益計算書		貸借対照表	
	借方	貸方	借方	貸方	借方	貸方	借方	貸方
現金	51,180			210			50,970	
当座預金	95,100		6,600				101,700	
受取手形	128,400			6,600			121,800	
売掛金	88,200						88,200	
繰越商品	84,000		100,800	84,000			100,800	
仮払金	63,000			63,000				
建物	900,000						900,000	
備品	135,000		63,000				198,000	
支払手形		31,680						31,680
買掛金		89,400						89,400
借入金		420,000						420,000
貸倒引当金		1,200		2,400				6,300
				2,700				
建物減価償却累計額		285,000		30,000				315,000
備品減価償却累計額		90,000		27,750				117,750
資本金		400,000						400,000
繰越利益剰余金		146,900						146,900
売上		1,506,300				1,506,300		
受取家賃		36,000	9,000			27,000		
仕入	1,155,000		84,000	100,800	1,138,200			
給料	288,000				288,000			
通信費	10,800			1,170	9,630			
貸倒損失	1,500		2,400		3,900			
支払利息	6,300		2,100		8,400			
	3,006,480	3,006,480						
雑（損）			210		210			
貸倒引当金（繰入）			2,700		2,700			
（貯蔵品）			1,170				1,170	
減価償却費			57,750		57,750			
（前受）家賃				9,000				9,000
（未払）利息				2,100				2,100
当期純（利益）					24,510			24,510
			329,730	329,730	1,533,300	1,533,300	1,562,640	1,562,640

会計期間は×７年４月１日から×８年３月31日までの１年間です。減価償却など月割計算が必要になる場合があるので、日付は必ず確認するようにしましょう。

Step 1 決算整理仕訳を行い、修正記入欄・損益計算書欄・貸借対照表欄に記入する

まず問題文にしたがって、決算整理仕訳を行い、修正記入欄に記入します。次に答案用紙の残高試算表欄の金額に、修正記入欄の金額を加減して、損益計算書欄（収益・費用の勘定科目）、貸借対照表欄（資産・負債・資本の勘定科目）に記入します。

＜決算整理事項等＞

①手形の決済

満期日の到来した約束手形を回収したので「受取手形」を¥6,600減少させます。なお、受取手形の減少は貸倒引当金の設定額に影響するため、注意しましょう。

（当座預金）	6,600	（受取手形）	6,600

②仮払金の精算

全額、備品の購入に関するものであることが判明したため、「仮払金」から「備品」へ振り替えます。

（備品）	63,000	（仮払金）	63,000

③現金過不足の処理

決算時に現金実査を行い、原因が不明であったものについては、「現金過不足」を用いず、「雑損」または「雑益」で処理します。

（雑損）	210	（現金）	210

④貸倒損失の計上

前期発生分の売掛金が貸倒れた場合は、前期末に貸倒引当金を設定しているため、「貸倒引当金」を取り崩します。当期発生分の売掛金が貸倒れた場合は、まだ貸倒引当金を設定していないため、「貸倒損失」で処理します。

(1) 実際に行った仕訳（誤った仕訳）

(貸倒引当金)	6,300	(売　掛　金)	6,300

(2) 正しい仕訳

(貸倒引当金)	3,900	(売　掛　金)	6,300
(貸　倒　損　失)	2,400		

誤った仕訳の貸借逆仕訳と正しい仕訳を合算・相殺し、訂正仕訳を導きます。

(3) 訂正仕訳

(売　掛　金)	6,300	(貸倒引当金)	6,300

＋

(貸倒引当金)	3,900	(売　掛　金)	6,300
(貸　倒　損　失)	2,400		

↓

(貸　倒　損　失)	2,400	(貸倒引当金)	2,400

⑤**貸倒引当金の設定**

(1) 貸倒引当金の当期設定額を求め、貸借対照表欄に記入します。

(¥128,400 ⊖ ¥6,600 ① ⊕ ¥88,200) ⊗ 3％ ⊜ **¥6,300**

受取手形　売掛金

(2) (1)の金額と修正後の貸倒引当金の金額との差額を求め、修正記入欄に記入します。

¥6,300 ⊖ (¥1,200 ⊕ ¥2,400 ④) ⊜ **¥2,700**

貸倒引当金

(貸倒引当金繰入)	2,700	(貸倒引当金)	2,700

(3) 貸倒引当金の繰入額を損益計算書欄に記入します。

⑥**売上原価の算定**

(1) 残高試算表欄の「繰越商品」の金額（期首商品棚卸高）を「仕入」に振り替えます。

(仕　　入)	84,000	(繰越商品)	84,000

(2) 期末商品棚卸高を「仕入」から「繰越商品」に振り替え、貸借対照表欄に記入します。

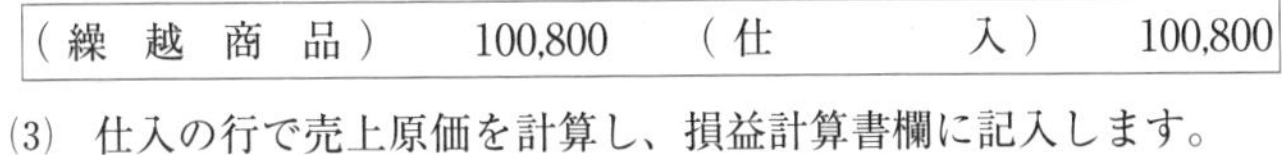

(繰 越 商 品)	100,800	(仕 入)	100,800

(3) 仕入の行で売上原価を計算し、損益計算書欄に記入します。

¥84,000 ＋ ¥1,155,000 － ¥100,800 ＝ **¥1,138,200**

Point 「仕入」と「繰越商品」は、決算整理事項により新しく出てくる勘定科目ではありませんが、売上原価の算定のために必ず残高を修正しなければなりません。

⑦貯蔵品の計上

(1) 購入時に「通信費」で処理しているため、未消費高（未使用分）を「通信費」から「貯蔵品」に振り替えます。

(2) 郵便切手の未消費高（未使用分）¥1,170を貸借対照表欄に記入します。

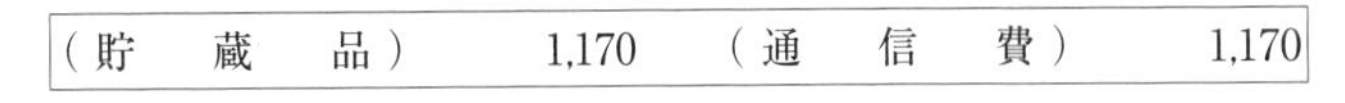

(貯 蔵 品)	1,170	(通 信 費)	1,170

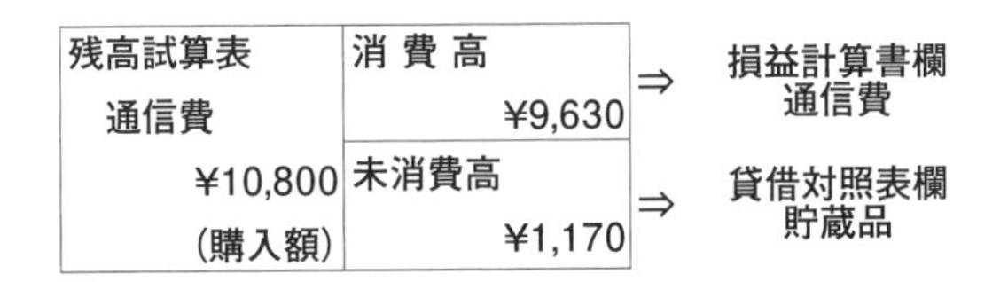

⑧減価償却費の計上

(1) ×7年10月1日に購入した備品は、月割計算（期間：6か月）します。

建物：¥900,000 ÷ 30年 ＝ **¥30,000**

旧備品：¥135,000 ÷ 6年 = ¥22,500

新備品：¥63,000 ÷ 6年 × 6か月 ÷ 12か月 = ¥5,250

備品減価償却費の合計：¥22,500 + ¥5,250 = **¥27,750**

(2) (1)の金額の合計額を減価償却費として、損益計算書欄に記入します。

（減価償却費）	57,750	（建物減価償却累計額）	30,000
		（備品減価償却累計額）	27,750

(3) 減価償却累計額については、残高試算表欄の金額と(2)の金額を合計し、貸借対照表欄に記入します。

建物減価償却累計額：¥285,000 + ¥30,000 = **¥315,000**

備品減価償却累計額：¥90,000 + ¥27,750 = **¥117,750**

⑨家賃の前受け

残高試算表欄の受取家賃の金額は、再振替仕訳を行った4か月分と、当期に受け取った12か月分の合計、16か月分となります。

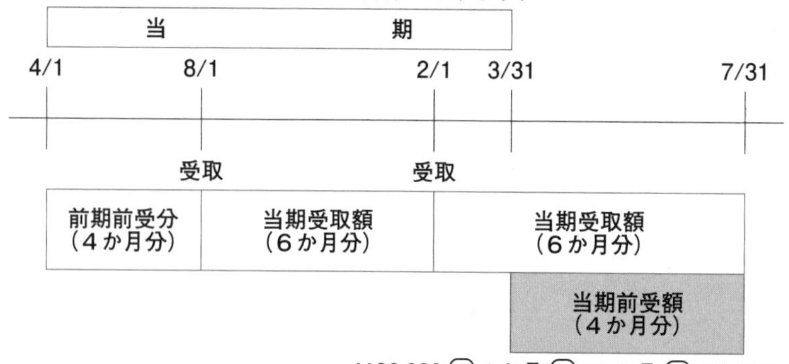

¥36,000 × 4か月 ÷ 16か月 = ¥9,000

（受取家賃）	9,000	（前受家賃）	9,000

前受家賃を貸借対照表欄に記入します。

Point

費用の前払い・未払い、収益の前受け・未収

頭の文字に「前」・「未」が付く科目であれば、貸借対照表に載せるものと覚えておきましょう。また、表示科目を記入するときは、間違えやすいので注意しましょう。

貸借対照表		
（借方）	（貸方）	
前払	未払	← 費用
未収	前受	← 収益

⑩**利息の未払い**

借入金に対する利息については、当期の費用とすべき３か月分（１月〜３月）を計上します。

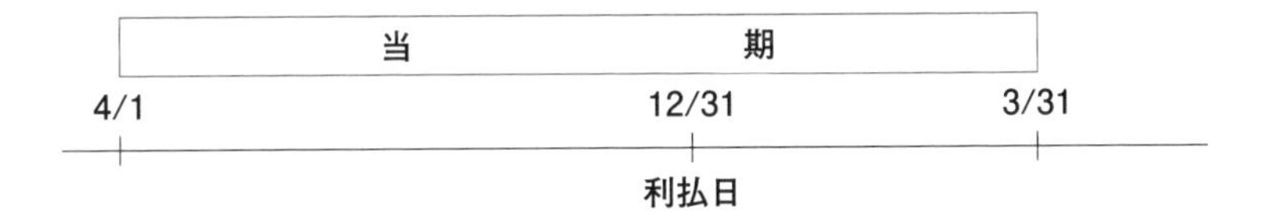

当期未払額
（３か月分）

¥420,000 ⊗ ２％ ⊗ ３か月 ÷ 12か月 ＝ ¥2,100

（支　払　利　息）	2,100	（未　払　利　息）	2,100

未払利息を貸借対照表欄に記入します。

Step 2 その他の勘定科目の金額を損益計算書欄・貸借対照表欄に記入する

Step 1 の決算整理仕訳で変動のなかった残高試算表欄の勘定科目の金額を、それぞれ損益計算書欄・貸借対照表欄に記入します。

Step 3 当期純利益（純損失）の算定

損益計算書欄・貸借対照表欄のそれぞれの貸借差額を当期純利益（または当期純損失）として記入します。

損益計算書欄（貸方）¥1,533,300 － （借方）¥1,508,790 ＝ ¥24,510（純利益）

貸借対照表欄（借方）¥1,562,640 － （貸方）¥1,538,130 ＝ ¥24,510（純利益）

Point ▶ 損益計算書欄および貸借対照表欄の当期純利益（または当期純損失）の金額は一致します。

第3問 2 精算表2

精　算　表

勘定科目	残高試算表		修正記入		損益計算書		貸借対照表	
	借方	貸方	借方	貸方	借方	貸方	借方	貸方
現金	105,000		1,050				106,050	
現金過不足		190	190					
当座預金	202,290						202,290	
受取手形	84,000						84,000	
売掛金	55,500			4,500			51,000	
仮払金	12,000			12,000				
繰越商品	45,000		45,900	45,000			45,900	
建物	720,000						720,000	
備品	108,000						108,000	
支払手形		69,000						69,000
買掛金		43,550						43,550
仮受金		4,500	4,500					
借入金		120,000						120,000
貸倒引当金		1,800		900				2,700
建物減価償却累計額		405,000		18,000				423,000
備品減価償却累計額		67,500		13,500				81,000
資本金		400,000						400,000
繰越利益剰余金		45,500						45,500
売上		855,000				855,000		
受取地代		63,000	9,000			54,000		
受取手数料		2,250		850		3,100		
仕入	598,500			598,500				
給料	87,000				87,000			
租税公課	2,000			600	1,400			
支払地代	19,500				19,500			
旅費交通費	22,500		10,950		33,450			
広告宣伝費	13,300		750		14,050			
支払利息	2,700		960		3,660			
	2,077,290	2,077,290						
雑（益）				90		90		
貸倒引当金（繰入）			900		900			
売上原価			45,000	45,900	597,600			
			598,500					
減価償却費			31,500		31,500			
（未払）利息				960				960
（前受）地代				9,000				9,000
（貯蔵品）			600				600	
当期純（利益）					123,130			123,130
			749,800	749,800	912,190	912,190	1,317,840	1,317,840

会計期間は4月1日から3月31日までの1年間です。減価償却など月割計算が必要になる場合があるので、日付は必ず確認するようにしましょう。

Step 1 決算整理仕訳を行い、修正記入欄・損益計算書欄・貸借対照表欄に記入する

まず問題文にしたがって、決算整理仕訳を行い、修正記入欄に記入します。次に答案用紙の残高試算表欄の金額に、修正記入欄の金額を加減して、損益計算書欄（収益・費用の勘定科目）、貸借対照表欄（資産・負債・資本の勘定科目）に記入します。

＜決算整理事項等＞

①現金過不足の処理

残高試算表欄の「現金過不足」の金額が空欄になっていますが、問題文に「実際有高が¥ 190過剰であったものである」とあるため、「現金過不足」が貸方残高であるとわかります。

期中の仕訳

借方	金額	貸方	金額
（現　　　　金）	190	（現金過不足）	190

「現金過不足」は、決算整理の段階で残高をゼロにし、適切な勘定科目に振り替え、残額については原因不明のため、「雑損」または「雑益」として処理します。

借方	金額	貸方	金額
（現金過不足）	190	（受取手数料）	850
（広告宣伝費）	750	（雑　　　　益）	90

②仮受金の処理

仮受金は、全額得意先に対する売掛金の回収であるため、「売掛金」を減少させます。

借方	金額	貸方	金額
（仮　受　金）	4,500	（売　掛　金）	4,500

③仮払金の精算

出張していた従業員が帰社し、仮払金の内容が判明したため、仮払金と受け取った現金との差額を「旅費交通費」で処理します。

旅費交通費：¥12,000 ㊀ ¥1,050 ㊁ **¥10,950**

借方	金額	貸方	金額
（旅費交通費）	10,950	（仮　払　金）	12,000
（現　　　　金）	1,050		

④貸倒引当金の設定

(1) 残高試算表欄の「売掛金」の金額が空欄になっているので、貸方合計¥2,077,290から「売掛金」以外の借方合計を差し引いて求めます。

¥2,077,290 ㊀ ¥2,021,790 ㊁ **¥55,500 → 残高試算表欄・売掛金**

(2) 貸倒引当金の当期設定額を求めます。

(¥84,000 ㊉ ¥55,500 ㊀ ¥4,500 ②) ㊇ 2% ㊁ **¥2,700**

受取手形　売掛金

(3) (2)の金額と残高試算表欄の金額との差額を求め、修正記入欄に記入します。

¥2,700 ㊀ ¥1,800 ㊁ **¥ 900**

(貸倒引当金繰入)	900	(貸　倒　引　当　金)	900

⑤売上原価の計算

(1) 残高試算表欄の「繰越商品」の金額(期首商品棚卸高)を「売上原価」に振り替えます。

(売　上　原　価)	45,000	(繰　越　商　品)	45,000

(2) 残高試算表欄の「仕入」の金額(当期商品仕入高)を「売上原価」に振り替えます。

(売　上　原　価)	598,500	(仕　　　　入)	598,500

(3) 期末商品棚卸高を「売上原価」から「繰越商品」に振り替え、貸借対照表欄に記入します。

(繰　越　商　品)	45,900	(売　上　原　価)	45,900

(4) 売上原価の行で売上原価を計算し、損益計算書欄に記入します。

¥45,000 ㊉ ¥598,500 ㊀ ¥45,900 ㊁ ¥597,600

⑥**減価償却費の計上**

(1) 当期の減価償却費を求めます。

建　物：¥720,000 ÷ 40年 = ¥18,000

備　品：¥108,000 ÷ 8年 = ¥13,500

(2) (1)の金額の合計額を減価償却費として損益計算書欄に記入します。

(減 価 償 却 費)	31,500	(建物減価償却累計額)	18,000
		(備品減価償却累計額)	13,500

(3) 減価償却累計額について、残高試算表欄の金額と(2)の金額とを合計して、貸借対照表欄に記入します。

建物減価償却累計額：¥405,000 + ¥18,000 = **¥423,000**

備品減価償却累計額：¥67,500 + ¥13,500 = **¥81,000**

⑦**利息の未払い**

借入金の当期の利息のうち3か月分（1月～3月）が未払いとなっています。未払い分は1月1日以降に発生した分となるため、問題文に与えられている改定後の年利率3.2%で計算します。

(支 払 利 息)	960	(未 払 利 息)	960

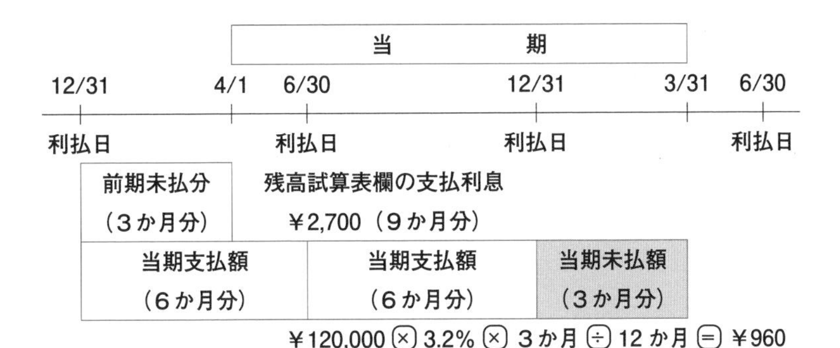

⑧地代の前受け

奇数月の月末にむこう２か月分を受け取っているということは、３月31日にも２か月分（４月～５月）を受け取っていることになります。そのため、２か月分を「前受地代」として貸借対照表欄に記入します。

（受取地代）	9,000	（前受地代）	9,000

⑨貯蔵品の計上

収入印紙の購入時に「租税公課」で処理しているため、未消費高を「租税公課」から「貯蔵品」に振り替えます。

租税公課：¥2,000 ⊖ ¥ 600 ⊜ **¥1,400**

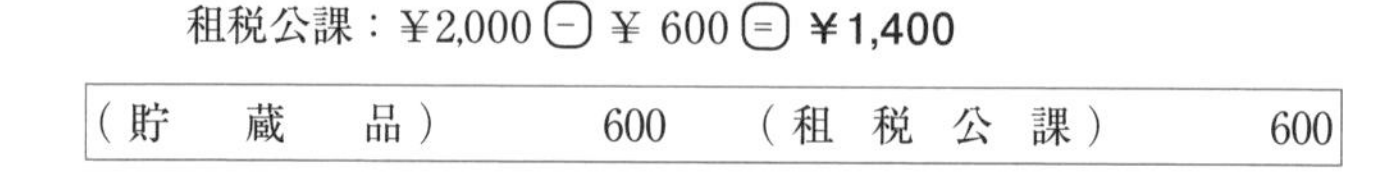

（貯蔵品）	600	（租税公課）	600

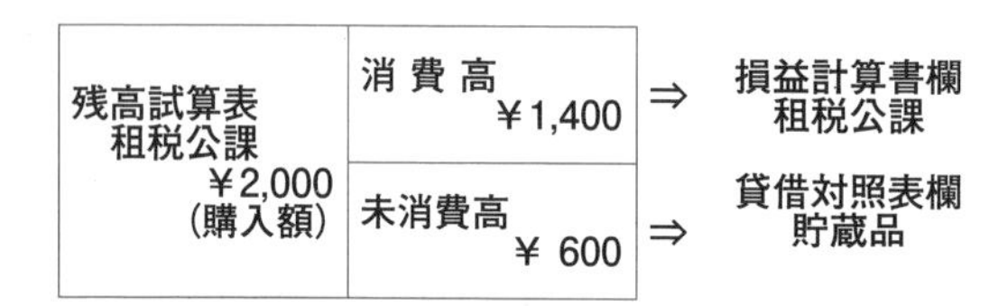

Step 2 その他の勘定科目の金額を損益計算書欄・貸借対照表欄に記入する

Step 1 の決算整理仕訳で変動のなかった残高試算表欄の勘定科目の金額を、それぞれ損益計算書欄・貸借対照表欄に記入します。

Step 3 当期純利益（純損失）の算定

損益計算書欄・貸借対照表欄のそれぞれの貸借差額を当期純利益（または当期純損失）として記入します。

損益計算書欄（貸方）¥912,190 ⊖（借方）¥789,060 ⊜ **¥123,130（純利益）**

貸借対照表欄（借方）¥1,317,840 ⊖（貸方）¥1,194,710 ⊜ **¥123,130（純利益）**

第3問 3 財務諸表1

貸借対照表

×8年3月31日 (単位：円)

現金		326,700	支払手形	(42,300)
受取手形	(120,000)		買掛金	(49,800)
貸倒引当金	(2,400)	(117,600)	(当座借越)	(120,900)
売掛金	(90,000)		資本金	(600,000)
貸倒引当金	(1,800)	(88,200)	繰越利益剰余金	(247,500)
商品		(76,500)		
(貯蔵品)		(1,800)		
(前払)費用		(4,500)		
(未収)収益		(1,200)		
貸付金		(240,000)		
建物	(300,000)			
減価償却累計額	(120,000)	(180,000)		
備品	(120,000)			
減価償却累計額	(96,000)	(24,000)		
		(1,060,500)		(1,060,500)

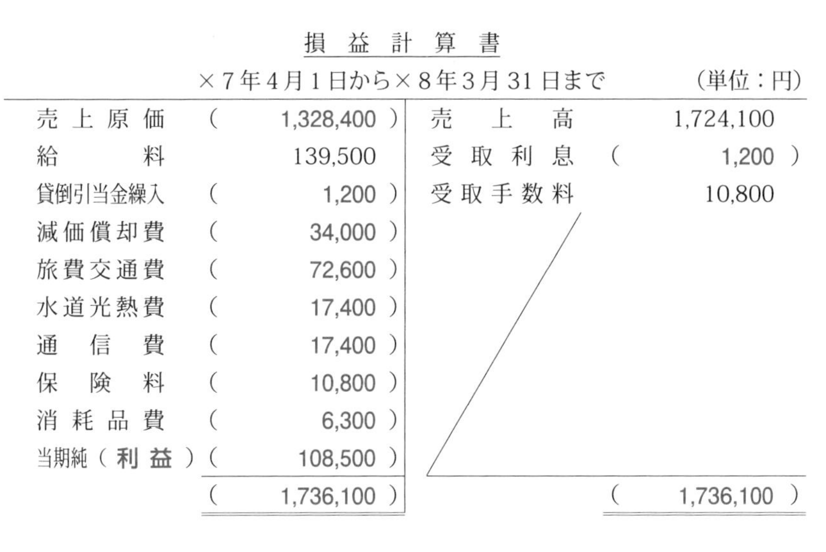

損益計算書

×7年4月1日から×8年3月31日まで (単位：円)

売上原価	(1,328,400)	売上高	1,724,100
給料	139,500	受取利息	(1,200)
貸倒引当金繰入	(1,200)	受取手数料	10,800
減価償却費	(34,000)		
旅費交通費	(72,600)		
水道光熱費	(17,400)		
通信費	(17,400)		
保険料	(10,800)		
消耗品費	(6,300)		
当期純(利益)	(108,500)		
	(1,736,100)		(1,736,100)

解説

Step 1 決算整理仕訳を行い、貸借対照表と損益計算書に記入する

まず問題文にしたがって、決算整理仕訳を行います。

次に決算整理前残高試算表に、決算整理仕訳の金額を加減して、貸借対照表（資産・負債・資本の勘定科目）、損益計算書（収益・費用の勘定科目）に記入します。ただし、財務諸表（貸借対照表・損益計算書）に記載する場合、「表示科目」で記入する必要があるので注意しましょう。

＜未処理事項・決算整理事項＞

①当座借越の処理

当座預金勘定が貸方残高であるため当座借越勘定に振り替えます。

（当座預金）	120,900	（当座借越）	120,900

②仕入戻し

未処理であったため、返品の処理を行います。また、掛けで仕入れていたので、「買掛金」を減少させます。

（買掛金）	600	（仕入）	600

買掛金：￥50,400 ⊖ ￥ 600 ⊜ **￥49,800**

③仮受金の処理

仮受金の残高は、売掛金の回収分であることが判明したので、「売掛金」を減少させます。なお、売掛金の減少は、貸倒引当金の設定額に影響するので注意しましょう。

（仮受金）	9,900	（売掛金）	9,900

売掛金：￥99,900 ⊖ ￥9,900 ⊜ **￥90,000**

④売上原価の算定（仕入勘定で売上原価を算定すると仮定）

(1)「繰越商品」の残高（期首商品棚卸高）を「仕入」に振り替えます。

（仕入）	63,900	（繰越商品）	63,900

(2) 期末商品棚卸高を「仕入」から「繰越商品」に振り替えます。

（繰越商品）	76,500	（仕入）	76,500

繰越商品 → 商　品（表示科目）

￥63,900 ⊖ ￥63,900 ⊕ ￥76,500 ⊜ **￥76,500**

仕　　入 → 売上原価（表示科目）

￥63,900 ⊕ (￥1,341,600 ⊖ ￥ 600 ②) ⊖ ￥76,500 ⊜ **￥1,328,400**

⑤貸倒引当金の設定

(1)　貸倒引当金の当期設定額を求めます。

貸倒引当金（受取手形）：￥120,000 ⊗ 2％ ⊜ **￥2,400**

〃　　（売 掛 金）：（￥99,900 ⊖ ￥9,900 ③）⊗ 2％ ⊜ **￥1,800**

(2)　(1)の金額と残高試算表の金額との差額を貸倒引当金繰入とします。

貸倒引当金繰入：（￥2,400 ⊕ ￥1,800）⊖ ￥3,000 ⊜ **￥1,200**

（貸倒引当金繰入）	1,200	（貸 倒 引 当 金）	1,200

⑥減価償却費

建物：￥300,000 ⊘ 30年 ⊜ ￥10,000

備品：￥120,000 ⊘ 5年 ⊜ ￥24,000

減価償却費：￥10,000 ⊕ ￥24,000 ⊜ **￥34,000**

（減 価 償 却 費）	34,000	（建物減価償却累計額）	10,000
		（備品減価償却累計額）	24,000

減価償却累計額（建物）：￥110,000 ⊕ ￥10,000 ⊜ **￥120,000**

減価償却累計額（備品）：￥72,000 ⊕ ￥24,000 ⊜ **￥96,000**

⑦通信費の処理

残高試算表より、購入時に「通信費」として計上していると判断できます。よって、未使用高を「通信費」から「貯蔵品」に振り替えます。

（貯　　蔵　　品）	1,800	（通　　信　　費）	1,800

通信費 ￥19,200 (購入額)	使用高 ￥17,400	⇒	損益計算書 通信費
	未使用高 ￥1,800	⇒	貸借対照表 貯蔵品

購入額と未使用高の差額を求め通信費を計算します。

通信費：¥19,200 ⊖ ¥1,800 ⊜ **¥17,400**

貯蔵品：**¥1,800**

⑧利息の未収

貸付金の利息については、当期の収益とすべき２か月分（２月〜３月）を計上します。

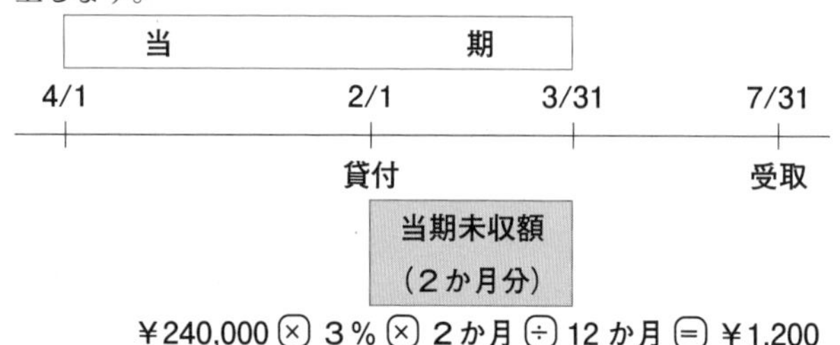

¥240,000 ⊗ ３％ ⊗ ２か月 ⊘ 12か月 ⊜ ¥1,200

（未収利息）	1,200	（受取利息）	1,200

未収利息 → **未収**収益（表示科目）：**¥1,200**

受取利息：**¥1,200**

⑨保険料の前払い

毎年９月１日に12か月分の火災保険料（毎年同額）を支払っています。残高試算表の保険料¥15,300は、期首の再振替仕訳により計上された５か月分（４月〜８月）と、当期に支払った12か月分の合計、17か月分となります。

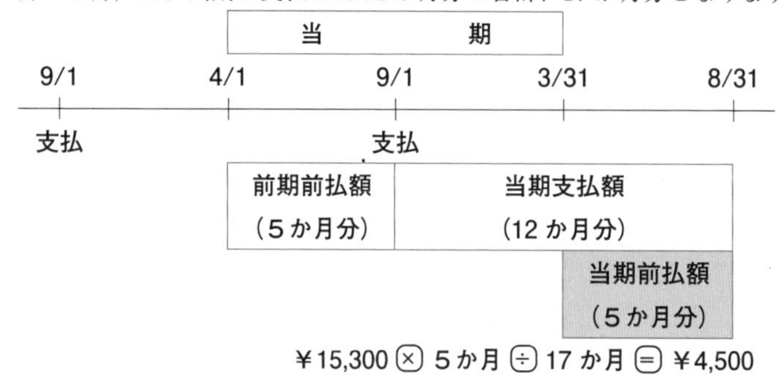

¥15,300 ⊗ ５か月 ⊘ 17か月 ⊜ ¥4,500

したがって、５か月分の保険料を前払費用に計上します。

（前払保険料）	4,500	（保険料）	4,500

前払保険料 → **前払**費用（表示科目）：**¥4,500**

保険料：¥15,300 ㊀ ¥4,500 ㊁ **¥10,800**

Point

費用の前払い・未払い、収益の前受け・未収

頭の文字に「前」・「未」が付く科目であれば、貸借対照表に載せるものと覚えておきましょう。また、表示科目を記入するときは、間違えやすいので注意しましょう。

貸借対照表

（借方）	（貸方）	
前払	未払	← 費用
未収	前受	← 収益

Step 2 その他の勘定科目の金額を損益計算書・貸借対照表に記入する

Step 1 の決算整理仕訳で変動のなかった残高試算表の勘定科目の金額を、それぞれ損益計算書・貸借対照表に記入します。

Step 3 当期純利益（純損失）の算定

損益計算書の貸借差額を当期純利益（または当期純損失）として記入します。

損益計算書（貸方）¥1,736,100 ㊀（借方）¥1,627,600 ㊁ **¥108,500（純利益）**

貸借対照表の繰越利益剰余金は、決算整理前残高試算表の繰越利益剰余金と当期純損益を足した値になります。

繰越利益剰余金：¥139,000 ㊉ ¥108,500 ㊁ **¥247,500**

第3問 4 財務諸表2

貸 借 対 照 表

×8年3月31日　　　　（単位：円）

現　　金		(883,000)	買　掛　金	(680,000)
普 通 預 金		968,000	借　入　金	(164,000)
売　掛　金	(1,400,000)		(未　払) 費 用	(15,000)
貸倒引当金	(28,000)	(1,372,000)	(未払法人税等)	(32,800)
商　　品		(1,700,000)	社会保険料預り金	15,000
(前　払) 費 用		(84,000)	資　本　金	5,000,000
(未　収) 収 益		(36,000)	繰越利益剰余金	(536,200)
建　　物	(3,000,000)			
(減価償却累計額)	(1,600,000)	(1,400,000)		
		(6,443,000)		(6,443,000)

損 益 計 算 書

×7年4月1日から×8年3月31日まで　　　（単位：円）

(売 上 原 価)	(6,440,000)	売　上　高	9,200,000
給　　料	(1,920,000)	受 取 手 数 料	(100,000)
貸倒引当金繰入	(24,000)		
減 価 償 却 費	(100,000)		
旅 費 交 通 費	(348,000)		
保　険　料	(60,000)		
法 定 福 利 費	(180,000)		
法人税、住民税及び事業税	64,800		
当期純 (利 益)	(163,200)		
	(9,300,000)		(9,300,000)

Step 1 決算整理仕訳を行い、貸借対照表と損益計算書に記入する

＜決算整理事項等＞

①仮払金の処理

出張していた従業員が戻り旅費交通費の精算をしましたが記帳がまだ行われていないので仕訳をします。

（旅費交通費）	48,000	（仮　払　金）	60,000
（現　　　金）	12,000		

現金：¥871,000 ⊕ ¥12,000 ⊜ **¥883,000**

②当座借越の処理

当座預金勘定が貸方残高であるため、借入金勘定に振り替えます。

（当座預金）	164,000	（借　入　金）	164,000

③貸倒引当金の設定

⑴　貸倒引当金の当期設定額を求めます。

貸倒引当金（売 掛 金）：¥1,400,000 ⊗ 2％ ⊜ **¥28,000**

⑵　⑴の金額と貸倒引当金の残高との差額を求め、貸倒引当金の繰入額を算定します。

¥28,000 ⊖ ¥4,000 ⊜ ¥24,000

（貸倒引当金繰入）	24,000	（貸倒引当金）	24,000

貸倒引当金繰入：**¥24,000**

④売上原価の算定

⑴　「繰越商品」の残高（期首商品棚卸高）を「仕入」に振り替えます。

（仕　　　入）	1,420,000	（繰越商品）	1,420,000

⑵　期末商品棚卸高を「仕入」から「繰越商品」に振り替えます。

（繰越商品）	1,700,000	（仕　　　入）	1,700,000

繰越商品 → 商　　品（表示科目）
¥1,420,000 ⊖ ¥1,420,000 ⊕ ¥1,700,000 ⊜ ¥1,700,000

仕　　入 → 売上原価（表示科目）
¥6,720,100 ⊕ ¥1,420,000 ⊖ ¥1,700,000 ⊜ ¥6,440,000

仕　　入

		借方	貸方		
繰越商品残高	⇒	期首商品棚卸高 ¥1,420,000	売上原価 ¥6,440,000（貸借差額）	⇒	損益計算書 売上原価
仕入残高	⇒	当期商品仕入高 ¥6,720,000	期末商品棚卸高 ¥1,700,000	⇒	貸借対照表 商　　品

⑤**減価償却費の計上**

当期の減価償却費を求めます。

建物：¥3,000,000 ÷ 30年 = ¥100,000

(減価償却費)	100,000	(建物減価償却累計額)	100,000

減価償却費：**¥100,000**

減価償却累計額：¥1,500,000 + ¥100,000 = **¥1,600,000**

⑥**保険料の前払い**

保険料については、翌期の費用とすべき7か月分（4月～10月）を前払費用に計上します。

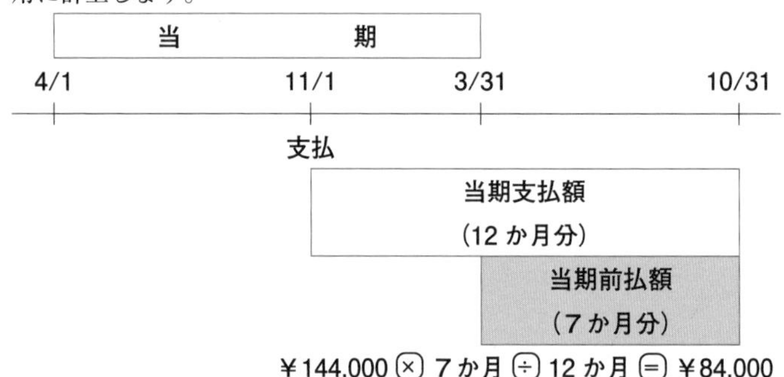

¥144,000 × 7か月 ÷ 12か月 = ¥84,000

(前払保険料)	84,000	(保険料)	84,000

前払保険料 → **前払**費用（表示科目）：**¥84,000**

保険料：¥144,000 − ¥84,000 = **¥60,000**

⑦**手数料の未収**

手数料については、当期の収益とすべき分である¥36,000を計上します。

(未収手数料)	36,000	(受取手数料)	36,000

未収手数料 → **未収**収益（表示科目）：**¥36,000**

受取手数料：¥64,000 + ¥36,000 = **¥100,000**

⑧**法定福利費の未払い**

法定福利費については、当期の費用とすべき分である¥15,000を計上します。

(法定福利費)	15,000	(未払法定福利費)	15,000

未払法定福利費 → **未払**費用（表示科目）：**¥15,000**

法定福利費 → ￥165,000 ＋ ￥15,000 ＝ **￥180,000**

⑨法人税等の処理

決算整理前残高試算表に仮払法人税等が計上されているので見落とさないよう注意しましょう。

（法人税、住民税及び事業税）	64,800	（仮払法人税等）	32,000
		（未払法人税等）	32,800

法人税、住民税及び事業税：**￥64,800**

未払法人税等：￥64,800 − ￥32,000 ＝ **￥32,800**

Step 2 その他の各勘定残高を損益計算書・貸借対照表に記入する

Step 1 の決算整理仕訳で変動のなかった各勘定残高を、それぞれ損益計算書・貸借対照表に記入します。

Step 3 当期純利益（純損失）の算定

損益計算書の貸借差額により、当期純利益（または当期純損失）を求めます。

損益計算書（貸方）￥9,300,000 − （借方）￥9,136,800 ＝ **￥163,200（純利益）**

貸借対照表の繰越利益剰余金は、決算整理前残高試算表の繰越利益剰余金に当期純損益を足した値になります。

繰越利益剰余金：￥373,000 ＋ ￥163,200 ＝ **￥536,200**

第3問 5 # 決算整理後残高試算表

決算整理後残高試算表

借方	勘定科目	貸方
121,250	現金	
262,360	普通預金	
80,000	売掛金	
36,500	繰越商品	
25,000	貸付金	
350	（未収）利息	
200,000	備品	
	買掛金	27,100
	前受金	12,500
	（未払）消費税	12,160
	（未払）利息	300
	未払法人税等	11,000
	貸倒引当金	1,600
	借入金	30,000
	備品減価償却累計額	80,000
	資本金	500,000
	繰越利益剰余金	25,000
	売上	800,000
	受取利息	350
650,000	仕入	
72,000	給料	
40,000	減価償却費	
1,000	貸倒引当金繰入	
300	支払利息	
250	雑（損）	
11,000	法人税、住民税及び事業税	
1,500,010		1,500,010

当期純利益または当期純損失の額　¥ 25,800

解説

Step 1 決算整理仕訳を行い、決算整理後残高試算表に記入する

＜決算整理事項等＞

①前受金の処理

内金を受け取った段階ではまだ売上は計上しません。商品を販売した段階で売上を計上します。

⑴　実際に行った仕訳（誤った仕訳）

(現　　金)	10,000	(売　　上)	10,000

⑵　正しい仕訳

(現　　金)	10,000	(前　受　金)	10,000

誤った仕訳の貸借逆仕訳と正しい仕訳を合算・相殺し、訂正仕訳を導きます。

⑶　訂正仕訳

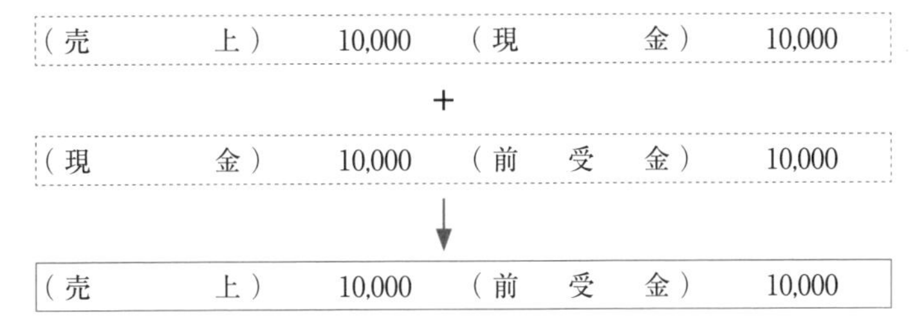

(売　　上)	10,000	(現　　金)	10,000

＋

(現　　金)	10,000	(前　受　金)	10,000

↓

(売　　上)	10,000	(前　受　金)	10,000

②現金過不足の処理

現金の残高を手許有高に修正し、手許有高と帳簿残高（残高試算表の金額）との差額を「雑損」で処理します。

(雑　　損)	250	(現　　金)	250

③貸倒引当金の設定

⑴　貸倒引当金の当期設定額を求めます。

貸倒引当金（売掛金）：¥80,000 ⊗ 2％ ⊜ ¥1,600

⑵　⑴の金額と貸倒引当金の残高との差額を求め、貸倒引当金の繰入額を算定します。

¥1,600 ⊖ ¥600 ⊜ ¥1,000

(貸倒引当金繰入)	1,000	(貸 倒 引 当 金)	1,000

貸倒引当金繰入：**¥1,000**

④売上原価の算定

⑴ 「繰越商品」の残高（期首商品棚卸高）を「仕入」に振り替えます。

(仕 入)	40,500	(繰 越 商 品)	40,500

⑵ 期末商品棚卸高を「仕入」から「繰越商品」に振り替えます。

(繰 越 商 品)	36,500	(仕 入)	36,500

繰越商品：¥40,500 ⊖ ¥40,500 ⊕ ¥36,500 ⊜ **¥36,500**

仕　　入：¥40,500 ⊕ ¥646,000 ⊖ ¥36,500 ⊜ **¥650,000**

⑤減価償却費の計上

当期の減価償却費を計上します。

備　　品：¥200,000 ÷ 5 年 = ¥40,000

(減 価 償 却 費)	40,000	(備品減価償却累計額)	40,000

減価償却費：**¥40,000**

備品減価償却累計額：¥40,000 ⊕ ¥40,000 ⊜ **¥80,000**

⑥消費税の処理

仮払消費税と仮受消費税を相殺し、差額を未払消費税で処理します。

(仮 受 消 費 税)	64,800	(仮 払 消 費 税)	52,640
		(未 払 消 費 税)	12,160

未払消費税：**¥12,160**

⑦利息の未払い

借入金の利息については、当期の費用とすべき 6 か月分（10 月～ 3 月）を計上します。

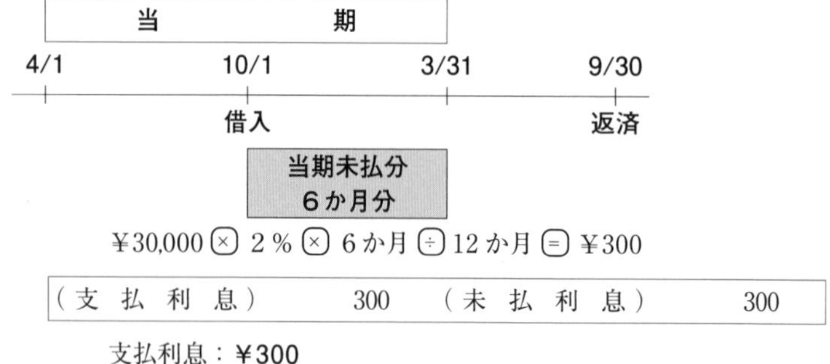

¥30,000 ⊗ 2 % ⊗ 6 か月 ⨸ 12 か月 ⊜ ¥300

(支 払 利 息)	300	(未 払 利 息)	300

支払利息：**¥300**

未払利息：**¥300**

⑧**利息の未収**

貸付金の利息については、当期の収益とすべき７か月分（９月～３月）を計上します。

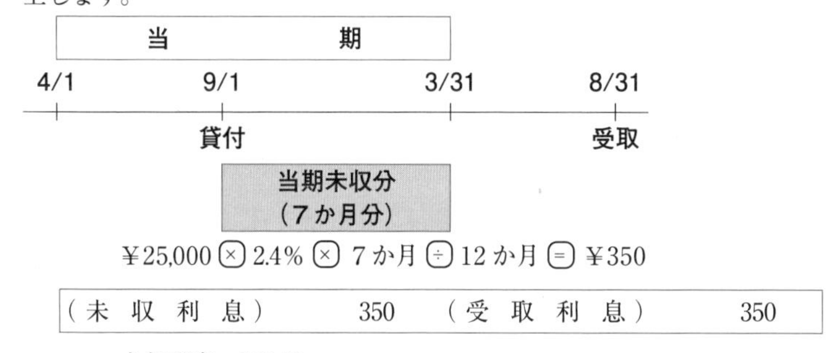

¥25,000 ⊗ 2.4% ⊗ ７か月 ⊕ 12か月 ⊜ ¥350

（未収利息）	350	（受取利息）	350

未収利息：**¥350**

受取利息：**¥350**

⑨**法人税等の計上**

法人税等の額は翌期に支払うことになるため、未払法人税等で処理します。

（法人税、住民税及び事業税）	11,000	（未払法人税等）	11,000

Step 2 その他の勘定科目の金額を決算整理後残高試算表に記入する

Step 1 の決算整理仕訳で変動のなかった勘定科目の金額を、決算整理後残高試算表に記入します。

Step 3 当期純利益（純損失）の算定

決算整理後残高試算表の収益と費用を集計し、差額が当期純利益（純損失）となります。

収益：¥800,000（売上）⊕ ¥350（受取利息）⊜ ¥800,350

費用：¥650,000（仕入）⊕ ¥72,000（給料）⊕ ¥40,000（減価償却費）⊕ ¥1,000（貸倒引当金繰入）⊕ ¥300（支払利息）⊕ ¥250（雑損）⊕ ¥11,000（法人税、住民税及び事業税）⊜ ¥774,550

当期純利益：¥800,350 ⊖ ¥774,550 ⊜ ¥25,800

日商簿記３級の次は

日商簿記２級に挑戦してみよう！

日商簿記３級の学習を終えた皆さん、日商簿記２級の受験はお考えですか？
せっかく簿記の学習を始めたのであれば、ビジネスシーンにおいて更に役立つ知識が満載で、就転職の際の評価も高い日商簿記２級にも挑戦してみてはいかがでしょうか。

日商簿記２級の試験概要		学習のポイント
試験科目	商業簿記・工業簿記	✓新たに学ぶ工業簿記がカギ ➡工業簿記は部分点を狙うよりも満点を狙うつもりで取り組むのが、２級合格への近道！ ✓初めて見る問題に慌てない ➡３級のときよりも、初めて出題される形式の問題が多いのも２級の特徴。慌てず解くためには、しっかりと基礎を理解しておくことも大切。
配点	商業簿記 60 点・工業簿記 40 点の計 100 点満点	
合格ライン	70 点以上で合格	
試験日程	（統一試験）6月・11月・2月の年3回（ネット試験）随時	
試験時間	90 分	

※ 試験の概要は変更となる可能性がございます。最新の情報は日本商工会議所・各地商工会議所の情報もご確認下さい。

日商簿記２級で学べること

商品売買業以外の企業で使える知識を身に付けたい		経済ニュースで目にする「M＆A」や「子会社」って何？		仕事でコスト管理や販売計画に関する知識が必要だ	
工業簿記・製造業の会計	サービス業の会計	連結会計	会社の合併	損益分岐点（CVP）分析	原価差異分析

様々なビジネスシーンで役立つ内容を学ぶからこそ、日商簿記２級の合格者は高く評価されます。
最初のうちは大変かもしれませんが、簿記の知識をさらに活かすためにも、ぜひ挑戦してみましょう。

日商簿記２級の試験対策もネットスクールにおまかせ！

日商記２級合格のためには、「商業簿記」・「工業簿記」どちらの学習も必要です。また、１つひとつの内容が高度になり、暗記だけに頼った学習は難しくなっている傾向にあります。だからこそ、ネットスクールでは書籍もWEB講座も、しっかりと「理解できる」ことを最優先に、皆さんを合格までご案内します。

【書籍で学習】

分かりやすいテキストから予想模試まで豊富なラインナップ!!

新たな知識を身に付ける「テキスト」の他、持ち運びに便利な「仕訳集」、試験前の総仕上げにピッタリの「模擬試験問題集」まで、様々なラインナップをご用意しています。レベルや目的に合わせてご利用下さい。

【WEB講座で学習】

３級から進級の方は…
日商簿記２級 WEB 講座標準コースがおススメ

試験範囲が広がり、より本質的な理解や思考力が問われるようになった日商簿記２級をさらに効率よく学習するには、講師のノウハウが映像・音声で吸収できるWEB講座がおススメです。

日商簿記2・3級 ネット試験
無料体験プログラムのご案内

日商簿記２・３級のネット試験（ＣＢＴ試験）の操作や雰囲気に
不安を感じている方も多いのではないでしょうか？
そんな受験生の不安を解消するため、ネットスクールでは
ネット試験を体験できる無料プログラムを公開中です。
受験前に操作や雰囲気を体験して、ネット試験に臨みましょう！

【注意事項】

- 本プログラムは無料でお使い頂けますが、利用に必要な端末・通信環境等に掛かる費用はお客様のご負担となります。
- できる限り実際の環境に近い体験ができるよう制作しておりますが、お使いの端末の機種や設定など、様々な事由により、正常に動作しないなど、ご期待に添えない部分が存在する可能性がございます。また、出題内容及び採点結果についても、実際の試験の出題内容・合否を保証するものではございません。
- 本サービスは、予告なく変更や一時停止、終了する場合がございます。あらかじめご了承ください。
- 詳細は体験プログラム特設サイトに掲載している案内もご確認ください。

日商簿記2・3級ネット試験無料体験プログラム
特設サイトのアクセスはこちら

https://nsboki-cbt.net-school.co.jp/